50万語を編む

「日国」松井栄一の記憶

松井栄一 著
佐藤 宏 編

小学館

本書は、二〇一四年四月に刊行された『日本人の知らない日本一の国語辞典』（小学館新書）と、『日本国語大辞典』初版、第二版それぞれの刊行時に実施され、ジャパンナレッジHP上で公開されたインタビュー、対談を収録したものです。

本文はできる限り初出当時の表現・表記のままにしていますが、一部、再編集したり解説を加えたりしている箇所もあります。

まえがき

『日本国語大辞典』の初版から第二版にわたって編集委員を務められた松井栄一《まついしげかず》先生は、晩年まで小学館の辞書編集室に通われて、次の版のために用例を採集していらっしゃいました。辞書のいのちは用例にある、とは先生が常々口にされていたことばです。

「本物の国語辞典」と呼べるのは、生きた材料から言葉を拾い、生きた実例を集め、さらに、それらを広く見渡したうえで説明をつけたものだけです。基礎中の基礎ともいえる着実な作業がなされているかどうかが問題なのです。〔本書73ページ〕

辞書のおおもとには用例があるという松井先生の信条は、祖父・松井簡治《かんじ》さんの『大日本国語辞典』の作り方を受け継いでいるといえます。簡治さんは、明治二五年（1892）に一念発起して古書店を巡り歩き、文献を集めて索引を作るところから辞書の編纂《へんさん》を始めたのでした。索引がそろったときに語数を数えたら四〇万語となったので、これでは一生をかけても時間が足りないと判断します。その半分の二〇万語であれば、一日三三語書いて二〇年でやれると確信し、ほぼその通りに実行したというエピソードはよく知られています。

近代的な国語辞典の嚆矢《こうし》とされる、大槻文彦《おおつきふみひこ》の『言海』（約三万九千語）が出版されたのが、明治二二年から二四年にかけて（1889－91）でした。松井簡治さんは、それを見て大いに刺激を受けたものの、用例が少ないことに物足りなさを感じていたにちがいありません。もともと、漢学の素養があり、国語国文にも造詣《ぞうけい》の深かった簡治さんは、青雲の志を抱いて政治家になる夢もあったようで、英語とドイツ語も学んでいました。英語を学ぶに際しては、一八八四年から分冊で刊行され始めていた、用例中心主義の世界的辞書『オックスフォード英語辞典』についてもご存じだったと思われます。

『言海』以後も、山田美妙《やまだびみょう》の『日本大辞書』（約五万三千語）から落合直文《おちあいなおぶみ》の『ことばの泉』（約九万二千語）に至るまで、国語辞典は続々と刊行され始めます。しかし、語数は増えても意味記述は似たり寄ったりのケースが多く、用例は辛うじて添えられているに過ぎませんでした。満を持して、『大日本国語辞典』（約二〇万語）が刊行されたのは、大正四年から八年にかけて（1915－19）でした。『大言海』の準備を進めていた大槻文彦は、『大日本国語辞典』を読んで、その出典（用例）の充実ぶりに感服しています。

「大言海」の大槻博士は、生前私の顔を見ると、「君と一夕辞書編纂の苦心談をゆっくりして見たい。この苦心は辞書編纂の経験のない者には解らない。君の国語辞典の語句の出典は感服だ。僕は語源を主にしたいと思って居る」といはれたが、種々の支障で十分に苦心談を交はす機会を得なかった事は今でも非常に遺憾に思って居る。〔『冨山房五十年』（１９３６・10・15）「冨山房と辞書出版」（『松井簡治資料集』１３０ページ上段）〕

長男にして栄一先生の父となる松井驥《き》さんは、東京大学の法学部を出た後、職を転々としながら俳句も嗜み、文学にも幅広い教養を持つ多才な方でした。一方では、学生時代に『大日本国語辞典』の第三校を引き受け、大学卒業後も折々に父の仕事を手伝って、増訂カードの整理をしたり、中型辞典『辞鏡』の原稿を準備したりしています。終戦の年に簡治さんが亡くなると、驥さんはその遺志を受け継ぎ、昭和二七年（１９５２）には、一冊本の『大日本国語辞典』（修訂新装版全一巻）を刊行します。しかし、その翌年、辞書の仕事に専念しようとしていた矢先に、五九歳の若さで亡くなってしまいます。栄一先生は、その無念を思い、父の死が辞書への道を定めたようなものだとも話されていました。

栄一先生は、東京大学文学部国文科を卒業後、国語の先生として武蔵高校で教鞭《きょうべん》をとるようになります。かたわら、学生時代の指導教官でもあった時枝誠記《ときえだもとき》が監修する『例解国語辞典』の仕事を手伝うことになり、例文による用法の解説を重んじるこの辞典の原稿を執筆しながら国語辞典への興味を深めていきます。『大日本国語辞典』の改訂版を冨山房では出すつもりのないことを知った小学館が、その出版を申し出たのは昭和三五年（１９６０）のことでした。疎開した時に講談社の倉庫で戦火を免れた増訂カードは小学館で生かされることになったのです。栄一先生はやがて教職を辞して『日本国語大辞典』の編纂に専念するようになります。

その後のことは、倉島長正《くらしまながまさ》初版編集長によるロングインタビュー（本書１５９ページ～）で詳しく述べられています。小学館では、増訂カードを活かしつつも新たに組織的に用例を集めて語彙も大幅に補うことになります。昭和四七年（１９７２）に刊行が始まり、同五一年（１９７６）には四五万項目七五万用例の『日本国語大辞典』全二〇巻として生まれ変わることになったのでした。今でも年輩の方々で時々、『日本国語大辞典』のことを『大日本国語』とおっしゃる方もいらっしゃいますが、松井簡治さんに始まった、用例を主体とする実証的な国語辞典という精神は驥さんが受け継ぎ、栄一先生によって『日本国語大辞典』にしっかり引き継がれたといえます。

さて、初版の刊行が始まってから二〇年が経ち、『言海』が刊行されてちょうど一〇〇年めにあたる一九九一年に、大槻文彦ゆかりの岩手県一関市で、「日本語の辞書はこれでいいのか」と題するシンポジウムが開かれたことがあります。郷里から近かったので、私は帰省して会場でそれを聞いています。編集部では、すでに第二版の編集委員会が開かれ、二〇〇〇年の刊行に向けて改訂作業が始まっていたころのことです。シンポジウムには、作家の丸谷才一《まるやさいいち》、高田宏《たかだひろし》、国語学者の大野晋《おおのすすむ》、詩人の大岡《おおおか》信《まこと》各氏が顔をそろえていました。その中で、丸谷さんが面白いことを発言なさったのです。『日本国語大辞典』も、刊行されてから二〇年になるが、改訂に着手したという話が聞こえてこない。お金が必要なら、スポーツやオペラや芝居などに宣伝を兼ねた文化事業（メセナ）をやっている大企業がそれを国語辞典に向けてもらえないだろうか。

> たとえば、新日鉄が、味の素が、全五十巻の日本語辞典を作る。どのぐらい費用がかかるか知りませんが、三十年か五十年でできるとします。すると、それ以後、日本語について何かいうときは、「新日鉄国語辞典によれば」とか、「味の素日本語辞典によれば」とか、書くしかないわけです（笑）。これは、たいへんな宣伝になります。〔『文學界』１９９２年１月号、２５７-２５８ページ〕

第二版の改訂作業が佳境に入ったころに、書名についての議論が社内で起こりました。どこで聞きつけたのか、作家の井上《いのうえ》ひさしさんが、編集部に直接おいでになったことがあります。辞典の名前を変えるというけれど、そう簡単に考えて欲しくない。日本に『日本国語大辞典』があり、それが代々続いていくことにこそ価値があると知ってほしいと諭されたのでした。『大日本国語辞典』を踏まえてのお話だったので、『日本国語大辞典』がまさに固有名詞として認められた瞬間でもあったと思います。平成一二年から一四年にかけて（2000-02）、小学館は、多くの方々のご協力に支えられて、五〇万項目一〇〇万用例の『日本国語大辞典第二版』（全一三巻＋別巻）も自らの社名で刊行することができたのでした。

松井家三代によって受け継がれてきた辞書作りの精神を、わたしたちはどのように引き継いでいけばよいのか。第二版の刊行後は、この問いに応えていくことが最大の課題となりました。ネットを通じて用例を広く公募する「日国友の会」という方法もそのひとつの応えです。読者とともに、『日本国語大辞典第二版』を参照しながら、さかのぼる用例を見つけたり、気づかれなかった意味や、新しいことばの裏付けとなる用例を探したりしています。

あらまほしき辞書の形を模索しつつも、用例を着実に集め続けていることは確かです。第二版を刊行してから四半世紀、初版から数えると五〇年を過ぎましたが、『日本国語大辞典』は生きています。さらに、『大日本国語辞典』が完成してから一〇〇年以上が経ち、松井簡治さんが一念発起してから一二〇年を超えました。そのことの意味を考えるためにも、これまで書籍化されていなかった松井栄一先生の生の声も本の形にまとめさせていただきました。これからの辞書について、あらためて考えるよすがとなれば幸いです。

佐藤宏　識

二〇二四年三月

目　次

▲1955年頃、武蔵高校の教壇に立つ著者（左右端）。▲中央は1971年頃、用例カードを整理する著者。

▲日国第二版別巻の完成と76才の誕生日を祝って（写真左）。▲2001年、自宅書庫にて（写真右）。

装丁・本文デザイン◉清水 肇［prigraphics］
校　閲◉滝口和子・壱語舎
資料提供◉武蔵学園記念室
撮影協力◉図書印刷株式会社
写真提供◉内山 繁［Whisper］・朝日新聞フォトアーカイブ
取材執筆◉倉島長正（ロングインタビュー）・角山祥道（ニッポン書物遺産）
制　作◉浦城朋子・斉藤陽子
販　売◉中山智子
宣　伝◉一坪泰博
編　集◉彦坂 淳

▲『日国』初版の活版組版（図書印刷・蔵）

日本人の知らない日本一の国語辞典

［松井栄一］

初出：二〇一四年四月【小学館新書】

はじめに

みなさんのご家庭にも、国語辞典が一冊はあると思います。その一冊はどんな辞書ですか。よろしければ、ちょっと手に取ってみてください。それは、『新選国語辞典』や『岩波国語辞典』『新明解国語辞典』など、学校で使っていたような手ごろなサイズの辞書でしょうか。それとも、『大辞泉』『広辞苑』など、片手で持つにはちょっとばかり重い辞書でしょうか。

みなさんの中には、『大辞泉』や『広辞苑』などを〝大型〟辞典と考える方もいらっしゃるかもしれません。しかし、これらは実は〝中型〟辞典と分類されまして、『新選国語辞典』『岩波国語辞典』などハンディなタイプの辞書が〝小型〟辞典と分類されているのです。

では、大型辞典とは？　実は、日本には大型辞典として分類される国語辞典は一種類しかありません。

それが、『日本国語大辞典』です。五〇年以上前に刊行された初版は全二〇巻、一五年近く前に刊行された第二版は全一三巻と別巻からなっています。その収録語数たるや五〇万を超えるという、まさに世界に誇る〝日本一の国語辞典〟なのです。

でも、五〇万語といっても、いまひとつピンと来ないかも知れませんね。では、私たちが日常的に使い理解できる言葉と比較してみましょう。たとえば、ある調査結果によれば、小学校入学前の子どもが理解する言葉（語彙）はおよそ五〇〇〇語、中学校入学前で三万語前後、二十歳の大人で五万語程度といわれています。

また、『源氏物語』をすべてお読みになった方は何人くらいいらっしゃるでしょう。別のある研究によれば『源氏物語』五四帖に出てくる言葉は二〇万語ちょっと。重複している同じ言葉をひとつとして計算すると、一万と少しの言葉が使われているそうです。

他のサイズの辞書とも比較してみましょう。小型辞典の収録語数が七万～九万語、中型辞典は二〇万～三〇万語ぐらいでしょうか。

それらと比較してみてください。『日本国語大辞典』の収録語数がいかに多いかおわかりいただけると思います。

私は長くこの『日国』の編集に携わってきました。そうそう、私たち辞書編集者、そして小学館の関係者は愛着と畏敬の念を込めて『日国』（にっこく）と呼んでおりますので、この本では以後『日国』と表記させてください。

――さて、ここまで読んで疑問を抱く方がいらっしゃるかもしれませんね。みなさんがお持ちの国語〝辞典〟はどんな〝辞書〟ですか？　という質問は、ちょっと変な問いかけかもしれません。

「国語辞典」を語るとき、「辞典」という言い方と「辞書」という言い方の二つがある。これは確かに気になる問題です。（稀に「字引」と呼ぶこともありますが、ちょっと古めかしい言葉なので、ここでは外しましょう）。言葉というものは、同じ意味の言葉が並行して使われていくことは、普通はあまりないのです。では、なぜ「辞書」と「辞典」とは二つ並んで使われるのか。

これはあくまで私の感覚ですが、「あなたはどんな辞書を使っていますか？」とは言いますが、「あなたはどんな辞典を使っていますか？」という言い回しには、やや抵抗を感じるのです。ただ、明確にその差は説明しがたい。これはなぜなのでしょうか。本題に入る前に、ちょっと「辞典」「辞書」ということばについて調べてみましょう。

まずは『日国』で「辞典」の項を引いてみると……。

■辞書のやや新しい呼び方。明治以降、辞書名に用いられるようになって広まった。

とあります。なるほど、なるほど。確かに、私の調べたところによりますと、明治時代までは「辞書」のほうが非常によく使われておりまして、「辞典」は使われてきていなかった。文献の中で、その言葉がどのように使われていたのかを示す「用例」を見ますと、「辞典」のもっとも古い例は

■日本小辞典〔1878〕〈物集高見編〉序〈近藤真琴〉「文明諸国莫不有辞典」

とある通り、明治の初期。一方、「辞書」はと言いますと、

■続日本後紀‐承和四年〔837〕一二月丁酉「然今進れる辞書非御意として左近衛中将従四位

下和気朝臣真綱を差使返給と宣」

とありますように、実に一二〇〇年も前にさかのぼるわけです。

ただ、書名としては「国語辞典」というように「辞典」のほうが多いのです。「漢和」とか「英和」という冠が付いても、たいていは「漢和辞典」「英和辞典」といったように「辞典」が使われるのがほとんど。明治期、大正期には『日本大辞書』『現代国語辞書』など、「〇〇辞書」も結構な数が出ていましたが、昭和に入ると姿を消し、「〇〇辞典」一色になってしまうところが興味深いですね。

このように「〇〇辞典」が隆盛を極める中、上に何も付かない場合には、「辞書」が多く使われるようです。「辞典」に関する書籍の題名をざっと眺めてみても、『辞書をつくる』『辞書とことば』など、「辞書」を使っているものが圧倒的に多く、「辞典」を使っているものは、ごく少数。雑誌などの特集タイトルを眺めてみても「辞書の世界」のような例が目立ちます。

このような現実からすると、単独では「辞典」より「辞書」のほうがよく使われ、名称では「〇〇辞典」が主流、と結論づけてよさそうです。

この理由の一つは、上に言葉を乗せる場合、二音節の「ジ／ショ」より三音節の「ジ／テ／ン」のほうが、発音したときに座りがよく感じられることにあると思います。また、「典」には書物という意味だけではなく、「手本」「規則」といった意味もあります。もしかしたら、「辞典」のほうが、より権威がありそうに感じられ、辞書の編者たちに好まれるようになったのかもしれません。

おっと、『日国』についてお話ししようと思っていたら、ついつい「辞書」と「辞典」について思いを巡らせてしまいました。

話を『日国』に戻しましょうか。

この、日本唯一の大辞典は初版の編集作業が昭和三六年（一九六一年）に始まり、昭和五一年（一九七六年）二月まで全二〇巻が刊行されました。完結まで実に一五年もの月日を要しました。

全国の国語・国文学者はもちろん、政治、経済、社会、芸術、科学などあらゆる分野の識者二〇〇〇名以上の協力を仰ぐことになりましたし、編集顧問にも辞書編集に豊富な実績を持つ方々にご参加いただきました。まさに我が国の国語学、辞書界の権威がずらり並ぶ、一大文化事業となったわけです。

しかし、これは国家的なプロジェクトとしておこなわれてきたわけではありません。『日国』の刊行は、一出版社である小学館が進めてきたものに他ならないのです。

私自身、当初から項目の選択や原稿の調整の仕事に深くかかわり、平成一二年（二〇〇〇年）一一月から刊行された『日国』第二版でも、同様に編集委員を務めさせていただきました。先ほど国家的規模の事業と述べましたが、『日国』初版、そして二版は、私にとってはまさに人生の大部を費やした一大事業と言ってもよいでしょう。私以外の錚々《そうそう》たる編集委員のみなさんにはとても及ばない存在ではありますが、わが家に残っていた『大日本国語辞典』編集のための資料を利用することから刊行へと動き出したいきさつがあります。

初版、そして第二版の刊行からも長い年月が流れましたが、今でもあの刊行間際のあわただしい日々は昨日のことのように思い出せます。初版は毎月一巻ずつ出すという刊行スケジュールでしたが、それは、編集する側にとっては非常に大変で、編集者、協力者一同が必死の思いで成しとげてきたことです。

何とか予定を守ることができ、当時は心底ほっとしたものです。しかし、できあがってみると、手直ししたい箇所、用例を添えたい項目などが目についてしまいます。気になった箇所に付箋《ふせん》をつけていると、ほとんどすべてのページに付箋がびっしりとつくような有様でした。「あの項目はああすればよかった」「この用例も入れたかった」と、忸怩たる思いにかられることがいまだにあるのです。第三版が出るかどうかはわかりませんが、現在もなお、私なりに手直し、用例追加などの作業を進めているところです。

今回は、『日国』の初版ができるまでのいきさつ、その試行錯誤と紆余曲折、なお残っている課題などをきっかけとして、辞書作りの妙、言葉の興味深い変化を皆さんにお届けしたいと考えて筆を執りました。また、辞書において私がもっとも重要だと考える「用例」と、その資料に関する話もたっぷりと盛り込みました。

とにかく、「ことば」「日本語」について私が調べてきたこと、考えてきたことをできるだけわかりやすくお伝えしたいと考え、この一冊にまとめた次第です。

そして、『日国』のもとになった『大日本国語辞典』と、その編者である祖父の簡治《かんじ》、その編集事業を受け継ぎながら早逝して志を果たせなかった父・驥《き》についても、今一度振り返ってみました。『大日本国語辞典』が基盤にあっての『日国』だと考えているからです。祖父が『大日本国語辞典』に注いだ情熱は父に受け継がれ、それを継いだ私ははなはだ微力ではありましたが、『日国』初版、そして第二版を世に出す手伝いができたと考えています。

『日国』二版の編集を終えてしばらくたった今、私の辞書編集者としての人生を総括することも、大きな辞書に長年携わってきた者の責任だと思います。辞書作りを通して考えた日本語、そしてことばの深遠さ、豊穣さについて、少しでも伝えられれば幸いです

平成二六年三月吉日

松井栄一

崖の下の編集所

原風景は、和書を繰る祖父の姿

書物、書物、書物――そこは、書物の山でした。思い出されるのは、南向き八畳の座敷を書斎とし、大きな和机に座り、静かに和書を繰っていた祖父・松井簡治の姿です。書物の山――書棚には近代の本もありましたが、私の印象に残っているのは和綴じの書物を静かに繰っている祖父の姿なのです。私が小さい子どもだったころも、成長してからも、彼はずっとそこにいました。起きている間はほとんど机に向かっていたのではないでしょうか。母屋のほか、裏山の崖の下には、松井家で「新書斎」、そして「編集」と呼ばれているのと、ふたつの建物がありました。ここから、多くの辞書が生み出されていったのです。

祖父は大正四年から八年にかけて『大日本国語辞典』（全四巻・冨山房刊）を世に出しました。古語、現代語を含む約二〇万項目を収め、準備段階から約三〇年の月日をかけた仕事です。その後も祖父は、父・驥《き》とともに、中辞典や増補改訂版の刊行を企画していたようなんです。今にして思えば、辞書の資料を作っていたということがわかります。しかし、当時は祖父がどういう仕事をしているかはまったく知りませんでした。

夕食を摂るのが午後の七時ぐらいだったでしょうか。家族と一緒に過ごすのを何より楽しみにしており、もう九時過ぎには床についていたと思います。このリズムで、祖父はずっと仕事をしていました。

もう晩年でしたから、体が弱ってくるのを防ぐために、我流の体操をやっておったんです。足踏みみたいなことをやったり、手を動かしたり。非常に不器用というか、あまりスマートな体操ではなかったように記憶しています。私たち孫は、「また、おじいさんが体操をやっているよ」と、ちょっとユーモラスに感じていた記憶があります。

子どもの目には、祖父の生活はまったくつまらなそうに見えました。私は、誰でも年を取れば自然にそういう静かな生活を送るようになるものだと思い込んでいたようです。後年、それがまったくあさはかな観察であったことがわかるわけですが……。

このように、生家の環境は辞書作りのための書物に取り囲まれていましたが、私が辞書に触れるようになるのは、もう少し後のことです。ただ、小学生のころから活字の魅力にははまっており、言葉については関心があったと思います。当時は子ども向けの読み物もいろいろ出回ってきており、私はその中でも、戦国時代から近世にかけて活躍した人の伝記をたくさん読んでいました。ふりがなが振ってあるわけですから、平仮名が読めれば問題はなかったわけです。

忠臣蔵の四十七士、真田十勇士（武将、真田幸村の家臣のうち、とくに活躍した10人の勇士）。当時はそのメンバーをすらすらと言えました。何しろ、戦前の小学生ですから。暗記はお手の物です。他にも、神武《じんむ》・綏靖《すいぜい》……と、歴代の天皇を暗記しておりました。だけど、私はどちらかといえば数字が頭につく集団が妙に気になったんです。「四十七士」に「十勇士」然り、はたまた賤ヶ岳《しずがたけ》の七本《しちほん》槍《やり》（賤ヶ岳の戦いで、羽柴秀吉軍で活躍した7人の武将）、頼光の四天王（源頼光とともに活躍した4人の家臣）、寛政の三奇人（江戸中期、尊皇、外交に特に関心を示した林子平、高山彦九郎、蒲生君平の3人）。数字がつく集団を探し出しては、そのメンバーをノートに書きつらねていたことを思い出します。他に数字のつく言葉も集めていました。そして、書き出した項目を整理して、並べることに夢中になりました。祖父の仕事を辞書作りと意識していなかった幼年の私ですが、今にして思えば、あれが自分なりの辞書だったのかもしれません。

そんな私が本物の辞書を初めて開くのは、中学生になってからのことです。中学校に入学したとき、初めて買ってもらった辞書は赤い表紙の『辞苑』でした。最初の国語の授業の前夜、遅くまで一生懸命その辞書を引いたことを鮮明に思い出します。初めて辞書を手にして、何か一人前になったような気がして気持ちが弾んでいたのでしょう。これが私と辞書との最初の出会いです。当時、その名を知られていた辞書といえば『辞苑』に『言苑』、大きなもので『大言海』、そして『大日本国語辞典』『言泉』『大辞典』といったところでしょうか。ただ、当時は中学生ですから、『言海』や『大日本国語辞典』はやや高度すぎたのでしょうか。引くことも触れることもありませんでした。

『大日本国語辞典』と祖父の関係を知るのは中学二年生のときです。国語の教科書に「学者の苦心」という題で、祖父の辞書に寄せられた序文が載っていて、「この辞書は松井のおじいさんが作ったものだよ」と先生が皆に紹介しました。何とも恥ずかしいような微妙なような、私はどう反応したものか戸惑った記憶があります。祖父が教科書に載るほどの仕事をしたということが、そのときはっきりとわかったんですね。もちろん、自分がその跡を継ぐことになろうとは、当時はまったく思ってもいませんでした。

忍び寄る戦火

私が祖父・簡治と辞書作りの関係をはっきり知った時分は、祖父はある辞典を編集している真っ最中でした。この作業には父も深く関わっており、下原稿を引き受けていたようです。その頃の祖父は夕食にお銚子一本をつけ、父とよもやま話をするのを何より楽しみにしておりました。

ある日、どんな話の流れだったかはわかりませんが、祖父が父に「漢語は泥沼だからね……」と言った言葉が、妙に耳に残りました。何が泥沼なのか？　そのときはさっぱりわかりませんでしたが、辞書編集者になった今の私はその一言でいろいろなことを推察できます。

それはおそらく、ある漢語を辞書の見出しに立てるか否か。その判断の難しさを言ったのではないでしょうか。和語に比べて強い造語力を持つ漢語は、当時、どんどん新しい言葉が登場し、世間に受け入れられていました。

それらをどこまで採り入れるべきかは辞書編集者の判断のしどころです。気になった漢語を見出しに立てていくときりがなくなり、まるで泥沼に踏み込んだようで身動きが取れなくなってしまう。このときの祖父の言葉を、その後、私は痛切に感じることになります。辞書作りに半生を費やしてきた現在、祖父と父が交わしていた一言一言の意味が、今さらながらしみてくるような気がしてならないのです。

当時の私には祖父と父の会話はピンときませんでしたが、一家の内が辞書作りであわただしくなっている空気だけは覚えています。先に述べた中辞典の編纂が佳境を迎えていた頃、昭和一四〜一五年の頃でしたでしょうか。父が編集作業の中心となり、外からも助手を何名か呼び、崖の下の新書斎を編集所にしていました。祖父は母屋の書斎におり、できた原稿の最終チェックをおこなっていたようです。

『大日本国語辞典』から選んだ語を一語一語切り離してカードに貼りこんだり、『辞苑』から同じ語を選んで貼りこんだり、さらには新たな言葉のカードを補充したりと、細々した作業には母や伯母も従事しており、私も面白半分にその作業を手伝ったことを覚えています。ほんの末端の仕事ではありますが、これが辞書の仕事に関する私の初体験になります。

こうして簡治、驥の共同編集で進んでいた辞典は『辞鏡』という書名で刊行される予定で、昭和一八年ごろには原稿もほぼ完成していたようです。しかし、戦火が激しさを増していく時勢から、ついに日の目を見ることはありませんでした。

祖父と父の導きで、文系へ

こうして、辞書編集に携わる父、祖父の姿を目の当たりにするようになった私ですが、当時は将来像なんてありませんでした。なにしろ、中学校でも軍事教練に励まなければならない時代でした。まあ、そういうことが好きな連中はいいでしょうけれど、私にとっては、ただただ憂鬱な日々でした。本を自由に読むこともかなわない。将来に明るい夢を持てず、どうやって戦争から逃げるかを考える日々です。

幸い、家族も軍国主義に染まっていなかったので、その点は助かりました。松井家のこの気風があったので、高校（旧制）受験で大きな転換点を迎えることになるわけです。

昭和一九年、私は名古屋にある第八高等学校に合格し、入学します。「理科」、今でいう理系を選択しました。活字、読み物が好きだったのに理系。これは周囲にも不思議に思われたかもしれません。

私としては、当然ながら「文科」を志していたのですが、「さしあたり理科に行っておいたほうがいい」という父の強い勧めで「理科」を受験したわけです。太平洋戦争が激化していくさなかのことです。徴兵猶予という特典がある理科に進ませようという父の親心だったのかもしれません。あからさまに言うことはありませんでしたが、「そのほうが生きる可能性がある」という父の意思を言外に感じました。

名古屋での高校生活は、戦争一色でした。私も憲兵隊の下に配属され、爆撃で埋まった防空壕の救出に向かうなど、学業どころではない生活を送っていました。

しかし、それから一年余りで終戦。命は何とか助かった。しばらくは目先の食料をどうするかということばかり考えていましたが、衣食足りて余裕もできれば、再び学業に取り組む気概も湧いてきます。そこで私は、かねてから考えていた、文科への転向を画策するようになったんです。ただね、徴兵の心配がなくなったからと言って、すぐに進路を文科に変えるというのもなんだか無節操な気がするものです。どう言ったものかためらわれたのですが、そのときに思い浮かんだのが、祖父が手がけた辞書のことでした。「祖父のように辞書を作りたい。そのためには文科でなければならない」これは筋が通った理屈になるでしょう。

校内でもその厳格さで知られた教務部長に、文科への転向を恐る恐る申し出たところ、「おじいさんの跡をつぐわけだね。私もあの辞書には大変お世話になった。まあしっかりやりなさい」と、あっさり許可が出たのです。これには拍子抜けしましたが、理科の教務部長ですら、その存在を知っている、いや、「大変お世話になった」というほどなのですから。『大日本国語辞典』の浸透力たるや。しみじみと、その力を痛感したものです。

中学二年生の当時、授業で読まれたときは、どこか気恥ずかしい思いがあった祖父の辞書でしたが、私の進路変更の一助となってくれました。父からは理系を推され、なんとか戦争を生き延びた。そしてまた、平和が戻ったときは文系への転換を祖父の辞典が導いてくれた。父と祖父が照らし導いてくれた道をたどり、今の私があると言ってもいいでしょう。

しかし、転科が許可される約二か月前のこと。

私の進路変更を知らないまま、疎開先だった栃木県の足尾で、祖父は他界してしまったのです。敗戦からひと月あまり、昭和二〇年九月六日のことです。当時八三歳という老齢。戦中戦後を何とか潜り抜けても、栄養状態は良好でなかったことでしょう。明治人にとっては敗戦という精神的なショックがあったとも推察されます。

『辞鏡』も『大日本国語辞典』の増補巻も、原稿はできていながら世に出すこともできなかった。そこにようやく平和が訪れ、まだ辞書編集の道を邁進したかっただろう祖父の無念は想像するだに余りあります。私が名古屋の寮にいる間に目白台の実家、崖の下の編集所も強制疎開で取り払われてしまっておりました。高校に入って東京を発った日が、祖父を見た最後だった、ということになります。

これは後で聞いたことですが、祖父は疎開先で同居していた伯母に、「孫たちで国文をやるものは誰もいないんだね。自分の跡を継いでやってくれそうなのはいないのか……」と、さびしそうに漏らしていたそうです。それなら、転科という事実だけでも知ってもらいたかった。さらに言うなら、大学の国文科への入学も見届けてもらいたかった。それが一番の心残りです。

結果として私は祖父の跡を継いで辞書作りに励み、今では祖父を越える年まで辞書作りに関わらせてもらい、本当に幸せだと思っています。ただ一つ、辞書作りについて祖父と話せなかったことだけは残念でなりません。

祖父と父の遺志を胸に

大学進学に際しては、迷わず国文科を選びました。なぜか、それが一番自然なような気がしたからです。何しろ国文科ですから、『大日本国語辞典』を頻繁に引くようにもなります。当たり前ですが、電子辞書もインターネットもない時代です。ちょうどその頃、冨山房から一冊本の『大日本国語辞典』が再刊されていました。当時の最高水準の国文学データベースとして、祖父の辞書をとことん活用した記憶があります。

ただ、大学では友人にも先生にも編者の類縁であるなどと、自分から言うことはありませんでした。国語を専攻する上で、家にその関係の書物があって物質的には非常に都合がよかったのですが、「あいつは『大日本国語辞典』の編者の孫だ」という特別な目で見られるような気がして、精神的にはこの辞書の存在が重荷になりつつもあったのです。しかし、一方で、辞書を作る仕事をしてみたい、という思いも密かに湧いてきていました。祖父が手がけた辞書を何度も引いているうち、「もう少し詳しい説明はないものかなぁ」などと思うようになったからです。いやはや、辞書を編纂するということについて、何も知らなかった者ならではの無鉄砲さ、と言えるでしょうか。

大学国文科を卒業した後、私は縁あって私立武蔵高校の国語教諭として教鞭をとることになりました。そこで偶然、辞書作りに携わる機会を得たのです。私が二七歳の頃ですね。東京大学文学部時代の恩師・時枝誠記先生が『例解国語辞典』を作るというので、その原稿作成に携わることができたのです。ご存じの方もいらっしゃるかと思いますが、時枝誠記さんは昭和を代表する国語学者です。「言語過程説」を提唱し、これに基づいて形成した独自の国文法は時枝文法として知られています。

さて、私を辞書の仕事に向かわせた、もう一つ大きな理由があります。それが、父の存在です。

ここで父・驥について語らせてください。父は、大学の法学科を卒業して勤めた会社を入社一年ほどで辞め、その後、東京市役所に数年在籍した後は函館市役所に勤めていたと聞いています。いくつもの会社を渡り歩いている途中、随所で祖父の辞書作りを手伝っていたようなんです。その始まりは早く、『大日本国語辞典』縮刷版のあとがきには、一〇歳のころに祖父の辞書の原稿整理を手伝ったとか、大学時代に三校（印刷で三度目の校正のこと）を全部引き受けて、校正をしたとか、そういう事柄が書かれていました。法学科卒ではありましたが、実質的な作業を進めるうえで、『大日本国語辞典』の陰の力になっていたのは確かなようです。

祖父亡き後、父が会社勤めの余暇に、辞書作りの準備作業を進めていることを、いつしか私は知るようになりました。父は祖父が残した増補改訂のためのカードを引き継ぎ、朝四時ごろから出勤するまでの二、三時間を使ってそれを整理し、追加する作業をおこなっていました。夕方は一杯飲んで、九時には寝てしまう。そして、早朝から辞書の仕事をする。まさに祖父と同じリズムで辞書作りに励む生活を送っていたんです。

いつ世に出るかまったくわからない仕事に打ちこんでいる父を見るにつけ、国語を専攻している自分は、いつの日にか父を助けざるを得ないだろう。そんな覚悟はありました。しかし、それはあくまで「いつの日にか」であって、それまではゆっくりと力を養い、徐々に辞書への造詣を深めていければ、といった程度ののんきさだったのです。しかし、その「いつの日にか」は思いのほか早くやってきてしまいました。私が大学を卒業してから二年経ったばかりの昭和二八年の暮れ、胃潰瘍の術後経過が思わしくなく、父は五九歳という年齢でこの世を去りました。まだ還暦の手前。いよいよこれからというとき。ともかく、あまりに突然の死であったため、カードの現状や、追加作業の内容などを聞く機会は永久に失われてしまいました。

吐血したちょうどその日、父は勤めを辞して余生を辞書の仕事に捧げる決意を固め、辞表を懐にしていたのです。実際、発刊されないままで終わった増補巻の仕事や、中辞典の編集には相当の時間を割いていました。残された資料の形を整え、いつでも出版できるようにしておきたいという強い熱意を持っていたのでしょう。

この計画を果たし得なかったことが、父はどんなに無念であったでしょうか。私にはそれが痛いほどよくわかりました。父の死は、私の辞書への道をはっきりと定めることになったのです。

辞書作りの血脈

国語教師時代は中学生、高校生を相手にその成長を見守り、教えたり、ときには教えられたりと、充実した日々を過ごしていました。生徒にも同僚にも非常に恵まれていたと思います。そのかたわら、大学時代の恩師の辞書の原稿作成にも携わることで辞書作りの一端に触れることができ、いろいろと勉強になりました。『大日本国語辞典』の中辞典を作らないかという話が版元の冨山房から舞い込んだこともありました。しかし、諸事情があって刊行計画は頓挫……。まだ時期ではなかったのか、と思ったところ、思わぬ申し出がありました。

時は一九六一年（昭和三六年）。祖父と父が残した増補カードを元に辞書を作らないか、という話が小学館から舞い込んだのです。そう、松井家には祖父と父がこつこつ作成してきた増補カードが残されていました。それらは『日国』を作る際の基礎資料の一つになりましたので、現在、形としては残っていません。新たに作ったさまざまなカードと共に、執筆の材料として台紙に貼りこんでしまったからです。

ただ、およそ七万〜八万語ほどあったことはわかっていますし、小学館に提供した際、カードの内容を調べた見出し項目の一覧表も残っておりますので、現在でもどんな項目のカードがあったかはわかります。これを見てみますと、増補カードは近世語、現代語の補充に重点が置かれており、慣用句、ことわざなどにも及んでいることがわかります。このカードを資料の一つに『日国』ができあがったわけですから、祖父や父の増補巻を出したいという思いは、ほぼ実現したと私は考えたいのです。

結果として、残された増補カードだけでは済まずに、時代別、分野別に相当量の用例を新たに採集。ほとんど一から辞書を作り直すことになるのですが、祖父、父のカードが元になっているのは間違いありません。大仰に言うなら、祖父と父が足かけ一〇〇年にわたって続けてきた作業が『日国』に結実したとも言えるのではないでしょうか。

はからずも祖父の遺志を継ぎ、こうして辞書編集者として進んできた私です。やはり辞書のこと、日本語のことを祖父、そして父といろいろ語らいたかった、という思いはあります。

名古屋の高校に入学するまで祖父と生活を共にしておりましたが、「国語辞典をなぜ作ろうと思ったか」という根源の動機については聞いたことがありません。後年、興味を持った私は祖父が残した資料をいろいろと調べてみました。辞書作りについてまとめた書物は残しておりませんが、講演や『大日本国語辞典』版元の冨山房の宣伝パンフレット、内容見本などでその苦労の一端を知ることができます。

明治一九年、千葉の銚子から二四歳で単身上京した祖父は、私学（明治会学館）で三年間、英語を学んでいました。この頃、ウェブスターなどの英語辞典に触れる機会があったのでしょう。そこで日本語の辞書の遅れを痛感し、次のような言葉を残しています。

■日本語の辞書も随分あるが、皆不完全で満足する様なものがない。何とかしていいものをつくりたいと考へついたのが、動機といへば動機であらう〈「辞書の沿革」『学苑』昭和10年5月号掲

載〉

外国語に関わったことが、「日本語にもよい辞書が必要だ」という思いにつながったのでしょう。明治二三年には、日本ではじめての近代的な国語辞典と言われる『言海』(大槻文彦)が刊行され始め、明治二四年四月に完成しています。確かにこの辞書は優れたものでいまだに評価が高い辞書ですが、古典からの用例は少なく、収録語数も四万以下という規模のもの。外国の辞書に日ごろから接していた祖父にとって、なかなか満足できるものではなかったのでしょう。

この探究心、向上心は明治時代ならではの高揚感が背景にあるのでしょうか。そもそも、私の血脈にそのような性向があるのか、それはわかりません。あまり言葉を交わすことがなかったせいか、性向のほうもあまり把握しているわけではありませんが、どちらかといえば私は祖父に似ているのではないかな、という気がいたします。

辞書作りの魂は連鎖する

『日国』の編集に邁進した年月については章を改めてまとめたいと思いますが、祖父と父を強烈に意識することになるのは、一九七二年(昭和四七年)の暮れのことになります。この頃、ちょうど『日国』の第一巻が世に出ました。これまでの努力がやっと日の目を見たというられしさは、不思議にないのです。なにしろ、二十巻まではまだ長い道のりです。世に『日国』を出していくという責任の重さのほうが、私の念頭には強くありました。

ともあれ、刷り上がった一冊をずっしりとした重みを感じながら持ち帰った日、私はそれを祖父と父の霊前に供えました。ふだん仏壇になどほとんど手を合わせることのない不孝者の私ですが、このときは何か神妙な気持ちになり、手を合わせました。

この辞書について父はいったい何を言ってくれるのかと考えました。いつも祖父の陰にいて助力し、祖父の死後は出版の当てもない辞書の増補改訂の仕事を継続していた姿を長い間見てきた私は、誰よりもまず父の言葉を聞きたいと思ったのです。

その晩のことです。ふと気づくと、私のそばには父がいたんですね。私は完成した辞書を開いて、父の言葉を待つのですが、いっこうに口を開く気配がありません。どこか褒めてもらえそうな箇所はないか、必死に探す私は驚きの声をあげました。詳しい説明を入れ、充実させたはずの用例が、みんな一、二行で終わっているではないですか。焦ってページを繰る私ですが、どこも空きばかりが目立ちます。駄目だ……これでは、父が何も言ってくれないのも当然かもしれない。

私はそう思いながら目を覚ましました。今の父とのやりとりが夢であることにほっとしましたが、たとえ夢でも、父の言葉が聞けなかったことが残念でなりませんでした。『日国』の刊行こそ始まったものの、まだまだ納得がいくものではない。そんな私の思いが、このような夢を見させたのでしょうか。

父の、そして祖父の笑顔を見るためには、まだまだ努力が足らなかった、ということだったのかもしれません――。

辞書で引けない言葉たち

辞書編集者の姿

流行りのメディアにあまり触れることのない私ですが、最近、どうも辞書をめぐる話題が多いようだ、と感じておりました。今までも辞書について書かれた本が注目を浴びたことはありましたが、最近の辞書ブームは、三浦しをんさんの小説『舟を編む』がベストセラーになったことの影響が大きいでしょう。私も楽しく、そして興味深く読ませていただきました。小説の冒頭には『日国』刊行のトピックも取り上げられておりますし、参考文献には私の著書も挙げていただいており、たいへん光栄に思っております。

あの小説が出版されて以来、辞書編集者の日常について聞かれることがあるんです。

「辞書の編集者って変わり者が多いんですか？」

「聞き慣れない言葉があったらすぐに書き留めるんですか？」

そんな問いを投げかけられても、私はただ苦笑するしかありません。物語で描かれたように、言葉への探究心が強い人が向いているとは言えると思いますけれど。ただ、用例採集では、あの小説の通りの人物を知っています。『三省堂国語辞典』を手掛けた見坊豪紀先生、その人です。

ここで「用例採集」という言葉を説明しますと、「辞書を作るときの資料にするため、実際にその言葉が使われた例を集めること」を指します。今はパソコンに入力してデータで管理するのが主流かもしれませんが、短冊形のカードに実際に言葉が使われている例、出典、日付などを書き込むようになっています。

私も用例カードはずいぶんと書きましたが、そば屋のテレビを見ながら書きとめるまではなかなかしませんでしたね。見坊先生は生涯で約一四五万枚もの用例カードを作ったと言われていて、食事中でも移動中でも、街にあふれる言葉を聞いて収集を繰り返していた、という方です。見坊先生なら、きっと、そば屋で昼食をとっている時も、しっかりと用例採集の網をテレビの画面にまで張り巡らせていたことでしょう。私が会議などでご一緒した際も、いつも雑誌など採集用の情報源を持っていらして、常に用例を収集しておられた。あれほど熱心な用例採集は今まで見たことがありません。

辞書作り？　そりゃ大変だ

『舟を編む』の影響もあり、知られることのなかった辞書編集者の実態が日の目を見ることになってきましたが、私が辞書編集者になりたての頃は、その仕事ぶりが知られることはそうそうありませんでした。

あれは『日国』の編集にかかりっきりの頃だったでしょうか。久しぶりに会った友人に「今、大きな国語辞典を作っているんだ」と答えると、「そりゃ大変だろうな」と、ちょっと気の毒そうな顔をするわけです。

私は、古代から近代に至るさまざまの文献の中から言葉を拾い出したり、古典の注釈書や現行の諸辞書を参考にしたりするんだ、などと大ざっぱに仕事の一部を説明しました。すると、どうでしょう。「へー」と言って、彼らは気の毒の極みといった顔つきになったんです。

私もそれに合わせて「辞書の仕事で疲れすぎると死ぬことが多いそうだから、まあそうならないように健康にはせいぜい気をつけている」などと、ちょっと深刻そうな顔をして、悲壮なことを言ってみたりするのです。

ところが、当時の私は、そんな辞書作りに邁進する日々が愉しくてしかたがありませんでした。死ぬどころか、むしろ寿命が延びるような気がしていたのです。

祖父が最初に『大日本国語辞典』を手がけたときには、国語辞典がやっとぽつぽつ作られ始めたという時期であったから、一語一語のほとんどに新しい意味や用例の追加があり、また、はじめて載せられる語も多いということで、楽しさというよりは使命感が強かったかもしれません。

しかし、私が半世紀以上も取り組んで、なおその奥深さを感じつつある、やっと少しわかり始めた辞書作りの愉しさを、そのとき祖父は十分に味わっていたはずだったのですから。

辞書作りの愉しみ、これにあり

祖父が味わっていた、その辞書作りの愉しみとはどういうものでしょうか。私は、言葉の存在、あるいはその言葉の意味説明の確かさを裏づける使用例を新たに見つけ出す楽しさだと思っています。辞書を編集する私たちは、その作業もまた、「用例採集」と呼びます。辞書では意味の説明もおろそかにできませんが、用例を添えることが極めて大切なのです。用例というのは、見出し語が具体的な表現の中でどう使われたか、また、どう使われているかという実例です。『日国』では、初版では七十五万、第二版では一〇〇万と、従来の辞書よりずっと多くの用例を収録しています。

ちなみに、用例には二種類あります。一つは、文献に残っているものを、その出典を示して引用するもの。そして、もう一つは、普段の生活の経験から、この語はこういう風に使うのだという一例を、出典を挙げずに示すものです。前者は出典を明示する用例です。実際に例を出してみましょうか。

(1)　山路を登りながら、かう考へた（夏目漱石『草枕』一）

(2)　リュックを背負って山道を登る

1、2の表現は、ともに「やまみち」という語の用例と言えます。しかし、1は夏目漱石の『草枕』というはっきりした出典を持つ「実例」ですが、2は小説などの出典元が示されていない例です。辞書編集者の中では、2のような例を、特に「作例」と呼んで区別することもあります。

用例の話をすると、「知りたい意味や当てるべき漢字などがわかれば十分で、用例などはなくてもよい」という意見も耳にします。辞書を引くのはその語の意味がわかればいいのであって、用例が多くついているのはわずらわしいだけ、という考え方ですね。

もちろん、辞書を引く目的は人によって様々です。現代語中心の小辞典には出典のある用例はついていませんし、古語辞典や中辞典の類でも、一つの意味に一つの例が添えられていればいいほうでしょう。引き慣れているのがこのような辞書の場合、多く用例が載っている辞書を引くのは面倒だ。そうおっしゃる気持ちもわかります。

しかし、その語について、もう一歩深く知りたいと思うときは、用例がどうしても必要になってくるのです。殊に、出典つきの用例が知りたくなります。では、そんな用例がどんな役に立つのでしょうか。ちょっと考えてみましょう。

用例が大事な六つの理由

用例をつけることにどういう意味合いがあるのか。ここでいくつかのポイントに整理してみましょう。

(1) その語の存在を確実に証明するということ。
(2) その語の使われた時代を示すこと。
(3) その語の意味の理解を助けること。
(4) その語の用法を教えるということ。
(5) その語の発音に関する一つの資料となること。
(6) その語の表記に関する資料になるということ。

用例の効果について、以上の六つを考えてみたいと思います。

第一に、その語が過去において確かに使われた、または、現在使われているという証拠になるということです。用例の数が多ければ、その語が一時的ではなく、ある程度通用していたことを示すことになりますよね。一つしか用例が示されていない。こんな場合は注意が必要です。近代以前は、写本であったり、人間の手による版木印刷であったり、書物を大量に流通させるのは困難な時代がありました。もしかしたら、その語は写しちがえや誤植によってできたものかもしれません。この点を考えてみても、用例は最低二つ必要で、多ければ多いほど良いということになります。それも、できるだけ別の著作者の例が望ましいでしょう。言葉の使い方が個人的、一時的なものではなく、ある一定の範囲に通用していたものだということがはっきりするからです。

第二に、その語が使われた時代がわかるということです。出典を見れば、その言葉が使われていた時代がわかりますが、たった一例では、その他の時代にも使われていたかどうかはわからない。ここで、用例が多く添えてあれば、それらを見ることで、その言葉がいつ頃から発生し、いつごろまで使われていたかを知る手がかりを得ることもできます。

第三には、その語の意味の理解を助けるという効用です。説明だけではわかりにくい場合や、説明に不十分なところがある場合にこれは有効。用例を見たら、説明が困難な微妙なニュアンスの違いも、ああそうかと納得できることがあります。

たとえば、「おおう」という語をある辞書で引いてみると

（1）上にかぶせる。かぶせてつつむ
（2）つつみかくす

とありました。1の意味は最も普通に使うものですから、この説明だけでもわかるでしょう。しかし、2はちょっとわかりにくいですね。「つつみかくす」だけでは説明が十分とは言えません。ここで、

■化粧の秘密を籍りて、疵を蔽ひ美を粧ふ（森鷗外『雁』二一）

■武者小路君の長所は、単にそれだけでも、優に氏の欠点を蓋ひ（赤木桁平『所謂「自然主義前派」に就て』）

のような例が一つでも添えてあったら、「つつみかくす」というだけの語釈でも、どのような場合の「つつみかくす」なのか、漠然とではありますが理解できるような気がしてこないでしょうか。第四には、その語の使い方がわかるという直接的な効用です。たとえば、先の「おおう」の例は二つとも「何かをおおう」という使い方でしたが、同様の意味の場合でも、

■篠田の偽善程恐るべき者は無い、現に其の掩ふべからざる明證の一は（木下尚江『火の柱』一八の二）

■失望の色は蔽ひ得ない（大仏次郎『ブゥランジェ将軍の悲劇』四月一日・五）

と、このような用例が挙げてあれば、打消し表現を伴って、「隠しようもないほどはっきりしてい

る」という意味で使われていたことがわかります。古い時代からの用例がもっと並べてあったら、使い方の時代的な移り変わりまで知ることができるでしょう。

続けてまいりますよ。第五には、その語の読みに関する資料にもなるということです。日本語は漢字だけで表されている場合、どう読むかを判断することが非常に難しい。「明日」は「あす」か、「あした」か、それとも「みょうにち」か。字面だけではわかりません。さらに、言葉には、音でも訓でも読める場合や、音読みとわかっていても、さらに漢音・呉音という二つの読みがある場合などがあり、実際にはどう読まれていたのか、明らかではないことがしばしばあります。近代以前のように清濁両様の読み方があるものは、漢字で書かれていると、どう読んだのかはっきりしないこともあります。仮名で書かれていても、清濁の区別がない資料では読みが不明です。そこで、読みがはっきりした用例が多く挙げてあれば、時代による読み方の移り変わりまでわかり、不明確な読みを推定できることもあるのです。

第六には、その言葉の表記に関する資料になるということです。カタカナ、ひらがな、漢字などのうち、普通はどの文字で書かれるか、仮名ならどういう仮名遣いで書かれるか。漢字をあてるならどういう漢字が使われるか。それらは、すべて表記に関することです。先に挙げた「おおう」の用例を見ると、漢字表記としては「蔽」「掩」「蓋」の三種類が使われていました。もっと多くの用例を集めれば、どの漢字が最も多くあてられたかということもわかってくるでしょう。

以上、私が考える六つのポイントで用例の意味合いを考えてみました。

用例採集カードは辞書作りの基盤

用例が十分に使われていれば、その語について知りたいことの多くがわかります。そう、用例は辞書の生命と言うべきものなのです。ここを踏まえ、『日国』の編集にあたっては、私たちは「典拠」と言いますが、出典のある用例を多く集めることに力を入れました。『日国』最大の特徴は、実際に言葉が使われた用例を存分に添えてあることです。

大きな国語辞典では、古代から現代にいたるまでの長い期間の言葉が扱われています。中には古代からほとんど意味が変わっていない言葉もあれば、語形は同じでも意味が大きく変わった言葉もあるのです。

辞書を作る立場からすると、大きく意味が変わった言葉のほうがむしろ扱いやすい。これが本音です。番号で分け、別々に記述してしまえばよいからです。しかし、意味の違いが小さいときは、なかなかやっかいです。分けるかまとめるかの判断が難しくなるからです。

まとめるとなれば、どの例にも通用するような説明をつけなければなりません。その結果、語釈がゆるいと言われたり、意味分析が足りないとおしかりを受けたりすることにもなります。現在の国語辞典の説明がまだまだ不十分であることは認めないわけにはいきませんが、現在の用法や語感だけで、その語の過去の用例を判断してしまうことは、大きな危険が伴う。これもまた事実なのです。

辞書の編集で必要なのは実例である、ということを繰り返し述べてきましたが、ある言葉、ある意味の実例が必要だというときになって、どの文献にあるかとあわてて探し、見つけ出すことは、大変に時間と労力を要しますし、能率の良くないやり方です。

したがって、辞書作りに取りかかる前には、まず多くの文献にあたり、言葉が使われた用例を選び出し、「用例採集カード」を作っておかなければなりません。これこそが、辞書作りの基盤となる大事な作業なのです。そうして作ったカードが、ある言葉の存在を証明してくれるわけです。自分が見つけた用例によって、その言葉の解説に、これまでの辞書にはなかった新しい意味や用法を付け加えられた。これは辞書編集者の醍醐味と言えるでしょう。次はどんな意味、用法を足せるだろうか……たまったカードを整理していると、私は何と形容してよいかわからないうれしい気持ちになるのです。

用例寄り道、思わぬ収穫

こうして用例に思いを馳せていると、私はかつて苦労した「折れ曲がる」という言葉を想起します。この語は、以前から多くの中型辞典、小型辞典に載ってはいましたが、用例はなく、ただ「折れて曲がる」と書いてあるだけだったのです。「折れ曲がる」を引いたとして、この説明で納得した方がいるでしょうか。バカにするな！　と怒る人も出てきそうな意味記述だと言われてもしかたがないですよね。

この「折れ曲がる」について私が集めた用例を見てみましょう。

「幾重にも折れ曲がった管」（寺田寅彦）のような普通の例もありますが、その他には

「河がぐるりと緩く折れ曲がってゐる」（夏目漱石）

「折れ曲がる急な山路」（志賀直哉）

「二階に上る折れ曲がった階子」「折れ曲がった廊下」（田山花袋）

といった、川や道や階段・廊下などについていう場合もあることがわかります。また、

「街道を右に折れ曲って行くと」（島崎藤村）

「飛び込むやうにその道路へと折れ曲った」（有島武郎）

のように、進む向きを変える意味で用いられる場合があることもわかります。このような実例を背景にすることで、より詳しく、より正確な説明ができるのです。

さらに、毎日用例を拾ったりカードを作ったりしていると、ちょっとしたきっかけから、辞書を充実させるヒントが見つかることもあります。

ある日、樋口一葉の小説に目を通していて、「大賛成」（おほさんせい）という振り仮名にぶつかり、オヤ？　と思ったことがありました。今なら「大賛成」（だいさんせい）が普通だからです。そこで、以後少し注意してみると、出てくるわ、出てくるわ。

「大安心」「大失策」「大失敗」「大身代」「大心配」「大得意」「大評判」「大普請」「大舞台」「大閉口」「大勉強」「大迷惑」「大愉快」「大陽気」「大立腹」など、みんな「おほ〜」とルビがついています。

これらは、三遊亭円朝、仮名垣魯文、坪内逍遥、末広鉄腸、幸田露伴、樋口一葉、内田魯庵、木下尚江、国木田独歩、夏目漱石など明治の作家の作品から拾ったものです。

明治時代には、漢語に「大」をつけた場合、「おお」と読むことが相当広くおこなわれていたらしい、ということが読み取れます。用例カードの裏づけによって「おお（大）」という項目に、新たな情報を付け加えることができました。

この「おお（大）」のように、用例の採集を続けていく中で、明治以降の多くの資料に目を通す機会に恵まれました。この作業を通し、この百年あまりの間に日本語は大きな変貌を遂げてきたことを実感しました。

一口に変貌といっても、言葉には語形があり、意味があり、表記がありで、いろいろな要素が含まれています。

辞書でも、それらの変化がすべてわかるように書かれていることが望ましい。これは異論のないところです。ただ、一語一語研究してその結果を記すという時間は到底ありませんし、十巻以上の大部を誇る『日国』とはいえ、思うがままにスペースを割いていい、ということはありません。

そこで、ここでは私が発見し、感じた言葉の意外な変化の、ほんの一部を選んで、ほんの少し掘り下げてみようと思います。外来語や新語に比べると目立たないのは確かですが、日常で私たちが普通に使う言葉にも、急激な変化が起こっているんです。「明治時代はこんな言い方をしていたのか！」という私の新鮮な驚きを皆さんにお伝えできれば幸いです。さらに、何気なく使っている言葉の背後に見られる言葉の変化について、少しでも関心を持っていただければ何よりです。

東京には空がない？

『智恵子抄』の「あどけない話」という詩には「東京に空が無い」という一節がありますが、これからお話しするのは実際の青空ではなく、言葉の清濁の話です。

上田敏の訳詩集『海潮音』の「故国」と題する詩の中で、青空には「あをそら」と振り仮名がふられているのです。ところが、同年代に刊行された『敵襲』という森鷗外の詩を参照すると、ここでは「あをぞら」という振り仮名があるんですね。アオゾラの読みが当たり前という現代の目からすると、アオソラは、『海潮音』が誤植だったのでは？　そう思いがちです。あと、復刻された二葉亭四迷『浮雲』（明治二〇年）にも、「仰向いて瞻る蒼空には」という箇所がありました。岩波版の全集、文庫本にはルビ（振り仮名）が付いていなかったのでわかりませんでしたが、初版本では「あをそら」なのです。

さっそく、ここで『日国』を引いてみましょう。説明には

■和漢三才図絵「霄　アヲソラ（略）」

とあります。江戸時代には「あおそら」と澄んでいたことがわかりますね。念のため、明治四五年刊の『大辞典』を引いてみると……そこにはあをそら・あをぞらの清濁2つが見出しになっていました。ここでは「あをそら」が主見出しで、「あをぞら」は「あをそら」から転じた語としているのです。現在では誰もが「あおぞら」と発音して疑わないこの何でもない言葉が、古くは「あおそら」だったらしいことがわかります。どうやら、『海潮音』の例は誤植ではなさそうです。おそらく、

明治二〇年代にはすでにアオソラ、アオゾラが併用されるようになっており、その傾向は、はじめに挙げた上田敏と森鷗外の例でもわかるように、明治末期まで続きます。

それが、現在のように濁音アオゾラに定着したのはなぜか。私は、明治末から配布が始まった国定教科書「国定読本」の影響が大、だと考えています。この国定読本では「青空」を「青ぞら」としており、濁音「ぞら」を仮名書きにしているのです。アオソラ・アオゾラで揺れていた読みに国定読本が決定的な影響を与え、現在のアオゾラに固定していったと思われるのです。

澄み渡る「天国」

次は天国のお話です。現代のマンガ本などでは「パラダイス」などと振り仮名を振っているものもありますが、明治期にはさすがにちょっとそれは早い。まず引きたいのは、幸田露伴の小説『露団々』。こちらは雑誌連載後、明治二三年に単行本として出版されました。それを読んでいた私は

■死んだ先の天国願ふまでもなし

という箇所で、おやっと思ったんです。「天国」に「てんこく」という振り仮名がついているじゃありませんか。念のため、『露伴全集』で同じ個所を見たところ、こちらは「てんごく」という振り仮名でした。だからといって、「てんこく」が誤植かと思うのは気が早い。私は「天国」という言葉

にたくさん出会えそうな本を当たろうと考えました。みなさんは、おわかりですね。

私が念のためにあたってみよう、と思い立ったのは、聖書でした。聖書であれば、天国は必須の言葉ですから。探し出したのは、明治一五年刊の『新約全書』。天国、天国、天国……ありました。馬太伝第三章に

■天国は近けり悔改めよ

やっぱり「てんこく」と振り仮名がしてあります。その他のページでも、「天国」はすべて「てんこく」と振ってあります。青空と同じく、明治時代は濁らずに「てんこく」が普通だったということになりますね。

そこで、明治時代に出た辞書をいくつか引いてみることにしましょう。明治一九年刊のヘボンの和英辞典、同二二年の『いろは辞典』、同二九年の『日本大辞典』はみな「てんこく」の見出し、明治三一年の『ことばの泉』、同四〇年の『辞林』は「てんごく」の見出しでした。どうやら、辞書の上では、明治三〇年ごろを境にして「てんこく」から「てんごく」に変わっているようです。

辞書以外の小説では、夏目漱石の『虞美人草』『三四郎』に「天国」という言葉が使われていることがわかりました。これは簡単、漱石ほどの文豪になると、主な小説に使われている言葉をすべて拾い上げ、五十音順に並べた総索引が出ているんです。言葉の変化、ルーツを探る者にとってはうれしいかぎりですね。

さて、漱石の小説については、『漱石全集』では「てんごく」の振り仮名に統一されていますが、明治四一年、漱石の活動期に出された本では「てんごく」「てんこく」いずれの振り仮名も見つかりました。ただ、「てんこく」の例は、ある著作から引用したという形を取っているため、古めかしさを出そうとしてわざと古い読み方をしたのだとも思われています。もしそうだとしたら、漱石の時代、普通の言い方は既に「てんごく」になっていたと見ることができます。これでやっと、明治時代の辞書以外で「てんごく」と読んでいるものが見つかったわけです。

なお、聖書では昭和一〇年代に至るまで、明治はじめの読み「てんこく」が受け継がれていたようですが、聖書のほうの「てんごく」がいつから出てくるのかは、まだ突き止められておりません。今後も近代の書物を読んでいく中で、幅広く「てんこく」「てんごく」の実例を集めていきたいところです。

なぜ小笠原はボーニンアイランドになったのか

人の住んでいない島「無人島」。これは現在誰もが「むじんとう」と言って怪しみません。だから、「無人島」に「むにんたう」という振り仮名がついた資料を見たときは、はっとさせられました。考えてみれば、「無」の漢音は「ブ」で呉音は「ム」、人の漢音は「ジン」で呉音は「ニン」ですから、漢音でそろえるなら「ブジン」、呉音でそろえるなら「ムニン」、となります。

ここで解説しますと、漢字には漢音と呉音という二つの読み方があります。遣隋使・遣唐使などによって伝えられた、七〜九世紀の洛陽や長安の字音に由来する音読みが「漢音」で、最も広く使用されているものです。そして、隋・唐の音が伝わる以前、古代日本に朝鮮を経て伝えられた、六朝時代の揚子江下流域（呉の地方）の字音が「呉音」。これは仏教関係の語に多く用いられているのが特徴です。

さて、この呉音の統一という見方では「ムニントウ」と読むのが理屈から見て自然であり、呉音と漢音が結びついたムジントウのほうが不自然な読みだとも言えます。

私は「ムニントウ」という振り仮名を見つけてからは、書物の中で見る「無人島」の読みに注意を払うようになり、その結果、明治時代は「ムジントウ」よりも「ムニントウ」のほうが殊の外多く使われていることがわかってきました。

江戸時代、小笠原は人が住んでいない無人島だったので「ブニントウ」と言われていた。それを西洋人が聞いて「ブニン」を訛って「ボーニン」とし、小笠原諸島は「ボーニンアイランド」と呼ぶようになったと言います。

いろいろな辞書の説明を調べていくと、大正期ともなれば「ムジントウ」が主、「ムニントウ」は従という関係がはっきりしてきます。しかし、その他の辞書に大きな影響を持つ『大日本国語辞典』

や『言海』が「ムニントウ」を主としていたため、「ムニントウ」は昭和になってもしぶとく残り、なかなか消えることがありませんでした。多くの辞書が「ムジントウ」一点のみを示すようになったのは、実に昭和五〇年頃のことなのです。皆さんにとってはどうかわかりませんが、私にとってのつい最近まで、「ムニントウ」は健在だったんですよ。

妖怪大集合？「ノッペラポウ」「テリテリ坊主」現る

明治四一年に出版された夏目漱石の小説『坑夫』を読んでいると、終盤で次の一文にぶつかり、私は思わず目をこすり、思わず振り仮名を見直してしまいました。これが、若者言葉でいう「二度見」というやつかもしれません。さて、驚いたのは

■ただ世界がのべつ、のっぺらぽうに続いてゐるうちに、あざやかな色が幾通りも並んでる許りである。

という箇所です。何を見て驚いたのか？　文中の「のっぺらぽう」という言い方です。それまで、私は何の考えもなく「のっぺらぼう」だと思い込んでいました。顔に目鼻や口がない妖怪のことも言うから、「ぼう」は「坊」だと思っていたんですね。しかし、この『坑夫』の例のように、妖怪のことではなく、なんの変化もない様子も言うことも知ってはいました。なので、それで驚きはしま

せんでしたが、「〜ぽう」とはねぇ……。先入観があったのはもちろん、活字では「ぽ」と「ぼ」の違いは目を凝らさないと見分けにくい場合も多いからなおさらだったのでしょう。明治期、大正期は親辞典と言われる『大日本国語辞典』『大言海』が「〜ぽう」という見出しにしていたので、多くの諸辞書がそれに習い、『辞海』『言泉』などの濁音「〜ぼう」派は旗色が良くありません。世の中の読み方の流れに次第に沿っていったのか、『明解国語辞典』が昭和二七年に「〜ぼう」の見出しにしてから濁音が主流になり、『広辞苑』も昭和四四年の二版で濁音見出しとなり、「のっぺらぽう」の時代は、ようやく終わりを告げたのです。

そしてまたある日。用例採集の作業中に、明治期の次のような例に出会ったのです。

■儂等は三日も前から気もそらの照々坊主（てりてりばうず）、何うぞと待ちし幸ひの花日和（斎藤緑雨『門三味線』一七、明治28年）

私は昭和八年に小学校に入学しましたが、その小学校で習った童謡は「テルテルバウズ」の歌、つまり「てるてる坊主」でした。今も、カラーで鮮やかに刷られた本を思い出しますが、まあとにかく、その国定読本と童謡によって、日本全国の少年少女は「てるてる坊主」と歌っていたはずです。その昔は「てりてり坊主」だったのか……と、ヘボンの『和英語林集成』を引いてみたら、初版から三版までみな「てりてり坊主」の見出しになっていました。

では、国語辞典はどうか。調べてみますと、これまた驚いたことに、明治期の主要な辞書十二点のうち、「てるてる坊主」しか載せていないのは『日本大辞典』ただ一冊。他は圧倒的に「てりてり坊主」が優勢です。子ども時代の童謡や思い出に揺られながら、言葉を探していくのも面白いものです。それ以来、「のっぺらぽう」と「てりてり坊主」の明治期の用例を探すことは、私にとって実に楽しい課題の一つになりました。

ギョッと驚く。言語はゲンギョ？

少し前に、漢音と呉音の話をしました。皆さんがこの漢音、呉音の読み分けをする機会があるとすれば、たとえば「建立」でしょうか。「王国の建立」などのように「建て設ける」意味で使う場合は漢音で「けんりつ」、「法隆寺の建立」などのように「寺院を新たに作る」意味で使う場合は呉音で「こんりゅう」と読みます。

しかし、いまの日本語には、先の無人島（ムジントウ）のように、漢音・呉音が入り交じった読み方が主流になっている言葉がたくさんあります。

たとえば「言語」です。言語を漢音で読むと「げんぎょ」、呉音で読むと「ごんご」。これは「言語道断」などに生きていますが、現在通用している「げんご」という読みは、漢音と呉音を組み合わせた読みということになりますね。

「言語」という表記は既に万葉集の時代からありますが、この頃の読みははっきりしていません。しかし、江戸時代になると、読みのついたものはみな「げんぎょ」で、明治維新直後に出たヘボンの『和英語林集成』も、「げんぎょ」の見出しのみでした。ヘボンの辞典の第三版が出た明治一九年になると、初めて「げんご」が登場してきて、それ以降の明治三〇年頃までは「げんぎょ」と「げんご」が併用されていたことが分かっています。

万葉集の頃は、もしかしたら呉音読みの「ごんご」だったのかもしれませんが、少なくとも中世には「げんぎょ」が普通になり、近世もそれを受け継ぎ、明治になって、新しい言い方の「げんご」が現れて併用されるようになり、その後、じわじわと「げんご」のほうが優勢になっていったのではないでしょうか。

「無人島」「のっぺらぼう」もそうですが、新しい言い方が辞書に登録されるのは、読みが発生した時期よりはだいぶ遅くなってしまうので、実際に使われ出したのはいつ頃からか。つきとめるのはなかなか困難を極めます。これは小説など、生きた言葉が使われている書物を丹念にあたり、実例を見つけ出していくほかはないのです。

あいにく、未亡人が耳ざわり

さすが国民的作家と言うべきでしょうか。夏目漱石は、用例を考える上では貴重な例を多く残しております。たとえば、代表作の『それから』(明治四二年)を読んでおりますと、現在とは違う読み方がいろいろ出てきます。もう一〇〇年以上も前の作品ですから、言葉づかいが異なるのは当然です。だけど、その違いは、まったく予想外の角度から来るもので、辞書編集者としては油断がならないのです。

■母は生憎(あやにく)祭で知己の家へ呼ばれて留守である

そう、振り仮名一つにも発見は潜んでいます。ここでは、漱石は「生憎」を「あやにく」と読ませています。今なら「あいにく」しかないように思いますが、国語学的にはこちらのほうが伝統的で、室町時代から使われている言い方なんです。

感動的な古語「あや」と「にくい」がくっついてできたわけなので、もともとは「あやにく」が正しいんです。つまり、漱石のものを読むときは「あやにく」と読むべきだということになってくるんです。明治時代の国語辞典を見ても、だいたい「あやにく」という見出しで説明がしてあって、「あいにく」は俗な言い方として扱われています。現在の国語辞典でも、あいにくは「あやにくが音変化したもの」という注記がつけられているものがほとんどです。

続いて、漱石の小説で印象に残る言葉が「未亡人」です。今は「みぼうじん」と読まれるのが普通です。しかし、漱石の『こころ』（大正三年）を読むと、

■私は未亡人（びぼうじん）に会って来意を告げました

とあり、また森鷗外の『青年』（明治四三〜四四年）にも、

■奥さんが未亡人（びぼうじん）だといふことを、此時純一は知った

とあります。明治から大正にかけては「びぼうじん」と読まれていたようです。確かに、明治期の辞書を引いても、載っているのは「びぼうじん」なんですね。大正でも、国語辞典の中にはもう「みぼうじん」になっているものもありますが、これも漢音、呉音の違いによる変化が大きく、明治時代は漢音読みで「びぼうじん」だったのが、呉音の「み」が載って、「みぼうじん」になったのです。

ただ、漢字の意味を追うと「未だ亡くならざる人」ですから、生きているのがいけないような意味を含み、あまり好ましい言葉とは言えません。しかし、どうやらもともとは自分のことを謙遜して呼ぶ言い方だったようなんですね。それがいつしか他人のことを言うようになり、失礼な意味も含むようになっていった、と。ただ、先の例を見てもそうですが、まだ自分のことだけを「未亡人」

と呼んでいる実例を拾えていません。これがまた今後の課題になりますね。

「耳ざわり」という言葉も、漱石の『こころ』から拾いました。近ごろ、「耳ざわりがいい・悪い」と言うと、「耳ざわりというのは、元来は耳にいやな感じ、耳に障るという意味を言う。だから、〝耳ざわりがいい・悪い〟という表現はおかしい。〝耳ざわりだ〟でなければいかん！」とおっしゃる方もいますよね。それは確かにその通り。もともとは耳に入ってくる雑音、嫌な音や何かを言った「障り」。それが、手で触るの「触る」と同じ音なものですから、そちらのイメージに引き寄せられ、漢字もだんだん「触」のほうを書くようになってきた、という流れがあります。ところが、漱石作品を読むと、必ずしもそうでなさそうなことがわかるのです。

■奥さんの言葉は少し手痛かった。然し其言葉の耳障りからいふと、決して猛烈なものではなかった

「障」という漢字をあててはいますが、「触」を書いたほうが当てはまるような「耳ざわり」になっていると思いませんか？　川端康成の『童謡』（昭和一〇年）にも

■肌襦袢ひとつで長い廊下をぺたぺた走りながら、彼女等がお互ひの名を呼び交わす声などは、特殊な耳ざはりだった

決していやな「耳ざわり」ではなく、たいへん興味を持って聞いている場面と言えます。

このように、今まで間違いだと言われているものも、近代文学で調べてみると、案外古くから使われていて、そう簡単に間違いだとは言えないものがあります。「夏目漱石が間違ったんじゃないの？」と言われてしまいそうですが、用例がこれだけあると、誤りとは言えなくなってくるわけです。そして、辞書は、このような微細な違い、変化こそ突き止めていかなければならないと思っています。

しかし、こうやって資料にあたっていると、言葉に敏感な小説家ほど、辞書編集者泣かせなことがわかるんですね。

たとえば、志賀直哉です。先に挙げた「みぼうじん」は、昭和一五年に岩波文庫で出た『暗夜行路』では、振り仮名で「みぼうじん」になっています。もともと、大正時代に雑誌連載されていたものですから、当時は「びぼうじん」だったはず。昭和になって「みぼうじん」という言い方が優勢になってきたので、恐らくは志賀直哉自身が手を入れて直したのではないでしょうか。文庫に収録する際、小説家が言葉を変化させてしまう作品もあります。

たとえば谷崎潤一郎。彼は『卍』という小説の中で、「映画見に」という表現を使っています。「映画」という言葉が一体いつごろから広まり始めたのかといえば、大正七年頃に雑誌に見え始め、一般に広まるのは昭和の初め頃、というのが定説です。『卍』は昭和四年頃の作品ですから、「映画」

と言う言葉が広まり始めた時期の大変貴重な実例として、つい辞書に用例を載せたくなります。しかし、これが落とし穴だったりするのです。

昭和六年に出た『卍』の初版本を見てみると、この箇所は「活動見に」となっているんですね。活動=活動写真、映画の古い呼び方です。その後、「映画」という言い方のほうが主流になり、文庫化するにあたって谷崎が見直したとき、「どうも活動では古臭い」と思い、手を入れたのでしょう。こうなると、辞書の用例に用いるのは初版本がいい、ということになりますが……入手は困難だし、高価ですし。なかなか一筋縄ではいかないのです。

声に出して読めない日本語

明治時代から現代に至るまで、目立った移り変わりを見せた言葉を取り上げ、その跡をたどってきました。ここに挙げてきた言葉の変化は、「アオゾラ・アオソラ」や「テンゴク・テンコク」など、言葉の清濁の揺れが主でした。青空や天国のように、揺れていた読みがどちらかに固定していくという流れがほとんどですが、静音でも濁音でもおおらかに通用してしまう語も多い。これが日本語の大きな特徴だと言えるでしょう。

会議で、ある議案を出すことを「発議」といいますが、これをホツギという人もあり、ハツギという人もいます。漢音の読み「ハツ」と、慣用音の読み「ホツ」との違いですが、若い人がハツギというのを聞いて、内心ではホツギと言ってもらいたいという年配者や、逆にホツギというのを聞いて古めかしい言い方だなと思う若者もいるのではないでしょうか。しかし、どちらにしても意味は通じるので、文句を言う人はまずいません。このように語形に「ゆれ」があり、複数の読み方が通用している語は他にもあります。

『NHKことばのハンドブック』で、放送する場合、どちらの発音を使ってもよいと示されている言葉を拾ってみると

一日千秋（イチニチセンシュー／イチジツセンシュー）
鬼子母神（キシボジン／キシモジン）
七転八倒（シチテンバットー／シッテンバットー）
主客（シュカク／シュキャク）
津々浦々（ツツウラウラ／ツズウラウラ）
豚汁（トンジル／ブタジル）

などがあり、清濁の違い、字音の読み方の違い、音と訓の違いなど、様々な場合が含まれています。

日本語のこんな特質を象徴しているのが、国名の「日本」です。現在でも「日本」と漢字で書かれると「ニホン」か「ニッポン」のどちらかはわかりません。「日本一」といった特定の熟語や、「日

本銀行」のような固有の名前になると別ですが。そうでない場合は「ニホン」と「ニッポン」は、個人の好きなように任されているということもあり、まさに日本語を象徴していると言えましょう。

ここに挙げてきた例を見ればわかるように、日本語は漢字を使うと読みにかかわりなく意味が通じる場合が多いので、読みが軽視される傾向は否めません。

扉に「押」「引」と記してあったり、エレベーターに「開」「閉」という文字を見かけたりしますが、これらの漢字は記号化していることもあり、どう読むかを問題にする人は、まずいないでしょう。以前は入場料を払う窓口に「大人」「小人」とあって、おとなと子どもの料金が表示されていましたね。最近では「大人」「子ども」という表示が多くなってきましたが、いまだに残る「大人」「小人」の読みも難しいですよね。「大人」はオトナでいいような気もするけど、「小人」がコビトでは変だし、ショウジンでは意味が合わない。これを辞書で調べると「ダイニン」「ショウニン」と読むことがわかりますが、正しい読みはと聞かれて答えられる人はそうそういなかったでしょう。だけど、これも口に出して言う必要はないから、「オトナ、コビト」などと心の中で読んだとしても、それは一向に構わないわけです。

読みが曖昧でも何となく意味が通じてしまう日本語の特性は辞書とは非常に相性が良くありません。なぜなら、ある言葉を辞書で調べようとしても、その言葉が読めなければ引くことができないからです。

日本語には和語があり、漢語があり、外来語があります。使われる文字も様々で、表意文字の漢字があり、表音文字のひらがなやカタカナ、ローマ字まであります。特に漢字は同じ文字であっても読み方が一通りでないものも多い。漢字で書いてあると、その漢字が読めなければ辞書も引けないのです。しかし、西欧や南北アメリカの国々で使われているアルファベットは表音文字であり、ABCという順も決まっていますから、発音とは無関係に、単語の綴りを見れば辞書を引くことができます。この違いは無視することはできない、と私は思います。

「従事」が先か「自由詩」が先か

「引く」という観点から国語辞典を見ると、漢字以外に言葉の並びも重要な要素になります。辞書の言葉の並び方、そのルールを「排列（配列）」といいます。

現在の国語辞典は言葉を五十音順に配列しています。昔はいろは順に並べているものも見られましたが、今はまったくありません。また、見出しの形は戦後、昭和二一年に定められた現代かなづかいに従っています。これも以前は歴史的かなづかいに従っており、今見ると複雑に映るでしょう。たとえば、王位は「わうゐ」、多いは「おほい」のように、です。現代かなづかいに従えば、「王位」「多い」は「おうい」「おおい」になります。そこで、これによる見出し形を用いた辞書が昭和三〇年ごろに出現。以後、次第にこの方式が広まっていきます。『日国』も、昭和四七～五一年に、現代かなづかい見出しに統一して出しました。『広辞苑』はしばらく表音式の見出しを変えずにいましたが、昭和五八年の第三版になって全面的に現代かなづかい見出しに統一しました。現代かなづかいで育ってきた人が、それと異なるかなづかいで引くことに不便を感じ、版元に文句を言うようになったからでしょうか。ほとんどの国語辞典がそうなったのは、今からわずか四十年ばかり前のことなのです。

では、これでどの辞書も見出し語の配列が同じになったかというと、話はそう簡単ではありません。現代かなづかいによる五十音順というだけでは、見出し語の配列は決められません。なぜなら、日本語には同音の言葉が多いからです。先に例として挙げた「王位」と「多い」は「おうい」「おおい」ですから、五十音順では「王位」が先になります。では、「多い」と「覆い」はともに「おおい」で同じかなになり、五十音順というだけでは先後が決められません。そこで、順番をつけるためには、形容詞、名詞というような文法的な性質による順を持ち出さなければならなくなってしまいます。ところが、品詞には決められた順位のようなものはありません。「多い」「覆い」の順を決める法則は各辞書によってまちまちということになります。「冬季」「投機」「陶器」「登記」のように、読みが「とうき」で同じ、しかも名詞という場合の順はさらにやっかいです。結局、漢字の部首や画数などをあれこれ考え、試行錯誤して法則を作るよりほかはありません。当然、その順番もまた、各辞書によってまちまちになってしまうのです。

また、促音（つまる音）は小さな「っ」で書かれるので、音は違うのに「つ」と同じ仮名になります。したがって、たとえば「二十日」（はつか）と「発火」（はっか）のどちらを先にするかも五十音順というだけでは一概に決められません。小さな「ゃ」「ゅ」「ょ」で書かれる拗音と呼ばれるものも同じ。たとえば、「視野」（しや）と「社」（しゃ）、「自由」（じゆう）と「十」（じゅう）、「利用（りよう）」と「量（りょう）」などの先後の順番の問題が該当するでしょう。みなさんも、お手元の辞書と大きな辞書を、ぜひ比べてみてください。きっと、法則の意外な違いに気づくはずですよ。

具体例を挙げてみましょう。

たとえば『日国』は「量」が先で「利用」が後ですが、同じ小学館の『ドラえもんはじめての国語辞典』など子ども向けの辞書は「利用」が先で「量」が後、と逆になっています。

同じ『日国』でも、初版と二版では配列が違っています。たとえば「しゅうし（終止）」「しゅうじ（習字）」「じゅうし（重視）」「じゅうじ（従事）」「じゆうし（自由詩）」という言葉、皆さんならどのように配列しますか？

『日国』初版では、しゅうし（終止）→しゅうじ（習字）→じゅうし（重視）→じゅうじ（従事）→じゆうし（自由詩）の順に配列しています。

しかし、私にはどうも据わりが悪かった。そこで二版では、次のような配列に変更しました。しゅうし（終止）→しゅうじ（習字）→じゅうし（重視）→じゆうし（自由詩）→じゅうじ（従事）。おわかりですか。「じゅうじ（従事）」と「じゆうし（自由詩）」を入れ替えたのです。清音（濁らない音「さ・し・す・せ・そ」など）か濁音（濁る音「ざ・じ・ず・ぜ・ぞ」など）かということで言えば、やはり清音が濁音より先に来るほうが自然だ、という理由からです。拗音（小さい「ゃ・ゅ・ょ」）か直音（大きく書く「や・ゆ・よ」）かということよりも清音か濁音かということを先に判断したのです。

それとは別に、促音（つまる音。小さい「っ」）ではもう一つ落とし穴があります。時折、読者の方から「おたくの辞書に十手は載っていないのか？」といった問い合わせを受けることがあります。確かに、「じゅって」でひいても、小学館の辞書にはそれらしい見出しはありません。これは、十手に限らず、「十戒」「十指（に余る）」「十中八九」なども該当します。これらは、「じゅっ～」ではなく、「じっ～」という見出しで掲載されています。つまり、「じって」「じっかい」「じっし」「じっちゅうはっく」という見出しになっているのです。

それはなぜでしょうか。「十」には「ジュウ」「ジッ（ジフ）」という音があります。「ジュウ」が「手」や「指」など、ほかの言葉といっしょになったとき、音が詰まって「ジュッ」という発音になる、と思われる方が多いのでしょうが、この場合は「ジュウ」の読みは変化せず、もう一つの読み「ジッ」が採用されているのです。この理屈からすると、十手は「じって」で、それ以外にはありません。ただ、現在の多くの人が「じゅって」と呼んでいることから、平成二二年に告示された常用漢字表では「じっ」の読みに「じゅっ」の読みも追加されたので、これから改訂される辞書では「じゅって（十手）」「じゅっかい（十回）」でも引けるようになるはずです。

辞書は比較してこそ真価がわかる

ここまで、気に留める人が少なかった、辞書の細々した部分を取り上げて述べてきました。「青空」「天国」「言語」のように、現在では読み方に何の疑問も生じないように見える言葉でも、しなやかに響きを変えてきたことが分かっていただけたでしょうか。もちろん、これらの例は私が今まで発見した言葉の変化の、ほんの一部にすぎません。古い時代のものは諸本の異同とか、振り仮名の有無などが厳密に示されるようになってきていますが、近代文学ではその様子はかなりおろそかにされています。今後、文学全集、特に個人全集を編集する際には、句読点、ルビの類にまで気を配って初出ないし初版の形にもどせるような処置をとっていただければ。これは、言葉に、そして辞書編集に携わる者の切なる願いです。

そして、辞書の使い手である皆さんにも、この本をきっかけに、辞書にもっと興味を持っていただければ幸いです。辞書への関心は、自分が使っている辞書がどういうものであるかを知ることから始まります。そのためには、一つの辞書を絶対視せず、いろいろな辞書と比べてみることをおすすめします。

昔は「良い辞書は一生ものだ」などと言われたものですが、世の移り変わりのあまりに激しい現在では、そんな言い方は通用しません。もし、あなたが利用している辞書が学生時代のもの、たとえば二十〜三十年も前に購入したものであれば、一か所でもいいです、現在出ている同じ辞書と比べてみることをおすすめします。

新しい見出しが追加されていたり、同じ見出し語でも説明が詳しくなっていたり、新しい意味が加わっていたり、添えられている例が変更、追加されていたり……様々な違いに気づかされることでしょう。

もし、新しい辞書しか持っていないようなら、現在出ている他の辞書と引き比べてみてもいい。言葉の並び、見出しの立て方など、興味深い比較がきっとできるはずですよ。

国語辞典の作り方

『日国』制作を振り返る

『舟を編む』のおかげもあり、辞書作りの一端がだいぶ知られるようになってきました。非常に喜ばしいことです。評判のいい、有名な辞書はたくさんあります。ただ、「本物の国語辞典」と呼べるのは、生きた材料から言葉を拾い、生きた実例を集め、さらに、それらを広く見渡した上で説明をつける。このような基礎中の基礎ともいえる着実な作業がなされているかどうかが問題なのです。

かつては、既成の辞書を数点みつくろい、その語釈などを参考に、手を少し加える程度で作られたものもありました。安直な辞書の代名詞として、学生アルバイトを使い、他の辞書を写させて作る「芋辞書」という言葉もあったぐらいです。「忘れ物」などという、ごく当たり前の、少なくとも明治時代にはすでに使われていた言葉が、戦後のある辞書に載るまでどの辞書にも収録されていなかった。この事実は、辞書の作り方の裏事情を象徴的に物語っているのではないでしょうか。

古語に関しては、古典の索引や注釈大系の類など、最近ではいろいろな資料が出版されています。しそれらを活用することで、今までの辞書にない説明や実例を盛り込むことが容易になっています。しかし、こと現代語に関しては、他の辞書に例を見ない新しい記述となれば、原稿の書き手に依存するだけ。古語については新し味が出ているのに、現代語に関してはまったく魅力がない、ということにもなりかねません。

私が編集に携わった『日国』は、このような辞書作りを広く見渡し、辞書作りの第一歩から歩み始めて完成し、今日に至ったものです。

ここでは、『日国』と私の道のりを振り返りつつ、「辞書の正しい作り方」「辞書のありよう」を綴っていきたいと思います。それをお読みいただくことで、辞書編集のだいたいの流れもご理解いただけるのではないでしょうか。

一生を棒に振る？

『日国』初版の編集途中でしたから、もう数十年も前になりますが、ある新聞の文化欄にのった国語学者の随筆を私はいまだに覚えています。それは辞書を巡る佳作でした。辞書の作成は、人間の一生が求められる仕事であるとか、五万語の小辞典でも一人で原稿を書けば五十年、一〇人で手分けをしても五年はかかるとか、同じ品詞の語は一人で書くことが必要だとかいうことは、まったく同感でした。ところが、「日本語の単語の記述に一生を棒に振ってもいいという覚悟のある男」が出なければ本格的な国語辞書はできない、というくだりを読み、私ははたと考え込んでしまいました。日頃楽しいと思っている辞書の仕事に、私は生きがいを見出しこそすれ、それで「一生を棒に振る」などとはまったく考えたこともなかったからです。「それでは本格的な辞書はできないぞ」と突きつけられたような気がしたものです。考えてみれば、今まで私は出版のメドのついた仕事に専念することができた。これはたいへん恵まれていたと思います。祖父や父のように、出版されるかどうかわからない。そんな困難な状況の下でやることで、少しは気概を持つことができたのでしょうか。それはどうかわかりません。しかし、現在の日本の状況では、五〇年、一〇〇年という長大な時間をかけられる辞書作りは到底望めそうにもないのが現実です。現在の辞書編集者は、悲壮な決意で臨む必要はないのですが、その代わりに、短期間で辞書を仕上げなければならない、という悲壮感はたっぷりと味わわざるを得ません。

『日国』の第一歩は、日付も忘れはしない、昭和三五年六月一五日のことでした。小学館から、「松井さんが持っておられる資料を何とか生かせないか」と相談を持ちかけられたのです。すでにお話しした通り、祖父と父がこつこつと書き溜めたカードが八万枚近くありました。まずはそのカードを調査し、今後の進め方を話しあっていこう、ということになったのです。

しかし、カードの調査はなかなか骨が折れるものです。取りかかってみると、これが容易ではないのです。ある資料からの用例が五十音の各行別にどれぐらい拾われているかをまとめるのに一年余りを費やしたばかりか、カードに採られている出典が六〇〇〇点以上にのぼり、その整理だけでも高校の同僚の先生六人を動員して、なお正体不明の資料が何百点も出るという有様でした。しかも、祖父が編集した『大日本国語辞典』そのものに赤字で追加された例が、「さ行」以下についてはまだカード化されていなかったということがわかりました。祖父、父が進めていた仕事は遠大で、まだまだ途上だったのです。あらためて無念さを思いましたが、この状況ではカードにいくらか補ったところで事足りるものではありません。

こうして、『大日本国語辞典』に新たな要素を付け加えるのではなく、一から辞書を作ることが決まり、刊行準備委員会が発足しました。『日国』の完成に向けた第一歩が踏み出されたのです。今思えば、私もまだ三九歳。祖父、父が積み上げてきた辞書人生を思うと、途方もない大きな仕事です。生きているうちに何とかこの辞書を完成させ、世に出したい——それが私の正直な思いでした。

熱気溢れる人海戦術

辞書作りといえば、辞書に載せる（「収録する」「採録する」とも言います）言葉を選び、その意味を解説した原稿を書いていく。これが主な仕事だと思っている方も多いでしょう。載せる言葉を選ぶことを「立項」と呼びます。これは「辞書の見出し項目を立てる」という意味です。そして、原稿を書くことは「語釈執筆」と言いますが、この二つは何もないところからできるわけではありません。

その前に重要なのが基礎作業です。『日国』の場合、まず刊行準備委員会を発足し、カードの調査を並行しつつ、相談会がひんぱんに開かれました。どういう内容にするのかという方向性、記述形式が検討されたのですが、大枠の検討がまとまったのは昭和三八年の春。最初の申し入れから、既に三年が経とうとしていました。

ここから辞書作りが急ピッチで進んでいきます。上代、中古、中世、近世、現代、有職、古記録、漢籍……など、それぞれの分野の専門家による部会（「専門部会」と呼びます）を発足し、それぞれの分野の用例採集に当たってもらいました。どういう資料から言葉を拾い上げるべきかを考えてもらった、ということです。その専門家たちはもちろん各分野の専門家ですが、その下でスタッフとして参画した大学院生たちには、後にそれぞれの分野の大家となった人も大勢います。

また、これとは別に、仏教関係の用語、訓点資料、古記録類、法制史料、農政資料などの用語、服飾などに関する用語についても、それぞれ専門の学者の集まりを持って相談し、当たるべき資料を決めていったのです。

こうして、専門家たちが資料の中から採り上げた言葉の用例カードを作成するのに約三年をかけました。三年——中学生も高校生も定められた学業を終えて駆け抜け、卒業してしまうだけの時間です。準備だけで何とも気の長い話だ――そう思われる方もいらっしゃるでしょう。しかし、私に言わせれば三年でも短すぎるのです。いくら分野を細かくして手分けをしても、専門家が本業の合間に目を通せる資料の数はそう多くはありません。しかし、こうして用意した用例カードが、この辞典の最も利用価値のある資料になっていきました。

そして、同じく重要な作業が、資料の貼りこみです。『大日本国語辞典』と松井家が作成してきた増補カード、続いて諸辞典の貼りこみが二十～三十人の大学生の手によっておこなわれていきます。これは、新辞書の参考にするため、一般の国語辞書はもとより、作品別、時代別、ジャンル別にまとめられた特殊辞書の類まで含め、三十を越える辞書類のことばを一語一語切り離し、台紙に貼っていく作業です。

ちょっと考えると簡単なようですが、実は細心の注意を必要とします。同じ辞書を二冊使って一方は偶数ページ、他方は奇数ページの語を生かして切り貼りしていくのです。裏表を間違えて貼ったり、説明が二段にわたっているものをうっかり落としたり、切り離したものを紛失したりといった事故は必ず起こります。しかも、エアコンや空調設備などがろくに整っていない時代のこと。夏場は特に大変でした。薄く、細かいペラペラの辞書用紙を扱う仕事です。扇風機などをうっかり使ってしまった日には……一陣の涼風すら、この作業の大敵でした。立ち込める熱気の中、若き諸君たちが黙々と作業を続けていたことを思い出します。

しかも、当時は辞書の見出し表記も過渡期でした。『大日本国語辞典』『大言海』や古語辞典のように、歴史的仮名遣いによっているもの、『辞海』『明解国語辞典』のように、表音式仮名遣いのもの、『広辞苑』のように大方表音式ですが、「おうずつ（大筒）」「おうさま（王様）」のように、和語漢語のオの長音を「う」で表すもの、『角川国語辞典』のように、現代仮名遣いによるものなど実に多彩。ハッキリ言えばバラバラだったのです。バラバラの辞書の同一項目を一枚の台紙に張るのは困難を極め、現場は混乱していました。後で考えれば、見出しが歴史的仮名遣いのものとその他のものに分けて貼りこみ、あとで台紙を統合するという方法を取ればより能率的であったでしょう。しかし、こんな簡単なことも、作業を始める前にはなかなか思いが至らないものです。

このような失敗を糧にしつつ、大勢の学生諸氏の協力により、主要辞典の貼りこみが約二年半近くをかけてできあがりました。『大日本国語辞典』を中心に貼りこんだ台紙は約二十一万枚、古典関係の特殊辞典などを貼りこんで約二十二万枚、国語辞典類および外来語、故事ことわざ・隠語などの特殊辞典を貼りこむと約二十七万枚……その量は膨大な域にまで達していました。

まだ見ぬ大辞典を目指して

規模の大小にかかわらず、辞書を作るにあたって最も大切なことは、言葉の豊富な実例を用意することだと思います。前章で触れたとおり、辞書の生命線と言ってもいい重要な作業です。大きな辞典を形にするには、大勢の協力者が必要になります。その際、一語一語の語釈や用例の密度を同じように保つためには、一にも二にも、豊富な材料が欠かせません。

「時間をかけ、費用をかけ、材料を集めることが大切だ」。これが準備委員会の総意でした。用例の量を集め、今までの辞書にない説明や実例を盛り込んでいく。さらに、可能な限り古いものを見つけて盛り込んでいく。そうすることで、その言葉のできた時代に近いものが拾えるのではないか。私たちはそう考え、各部会では実作例を主に収集を続けました。

小辞典では実例をいくつも挙げるということはスペースの関係上難しいでしょう。しかし、大きい辞書なら語ごと意味ごとにいくつかの実例を挙げてその典拠を示すことができ、それこそが大辞典の存在意義と言えるようになるでしょう。そのためには、編集側がたくさん持っているかいないかが、その辞書の出来栄えを大きく左右することにもなります。

用例の採集が重要事項になったということで、関わっているメンバーの中には、大きな高揚感と気概が生まれていきました。『大日本国語辞典』に継ぎ足すという域を越えて、一つの新たな大辞典になっていく。そんな膨大な計画の一端が、徐々に見え始めたからです。

各部会で採集した用例カードは、各種辞典同様、台紙に貼りこまれ整理され「資料台紙」になります。この各種辞典、用例カードを貼りこんだ資料台紙は、最終的に約四十万枚にも達していました。用例カードは一枚の台紙に八枚貼ることができましたし、一項目は平均で約五枚のカードがありましたから……合計すると、作成したカード枚数は、ざっと二〇〇万枚を下らないことになります。

二十五秒の選択「視」

資料台紙が五十音順に整理統合されると、次の仕事は項目の一覧表を作ることに移ります。総項目数を知る必要があったからです。企画案によれば、総項目数を約四十五万とすることになっていました。一覧表を作った結果、もし四十五万を大きく下回るようであれば項目補充の手立てを講じなければなりませんし、逆に多すぎるなら項目を削る作業をしなければなりません。

「あ行」の整理が済んだところで、この分なら全項目数は六十万弱だろう、と推定できました、一覧表はその後二年半を費やしてできあがりましたが、その結果の項目総数は約五十五万でした。

まだまだ、準備には多くの時間と作業を費やしたかった。それが本音です。しかし、ある程度のところで見切り発車をしなければ結局ものにならずに終わってしまいます。そこで、ひとまず準備に踏ん切りをつけ、項目選定の作業を進めるかたわら、いよいよ「用例探し」に並ぶ辞書作りの大きな柱「立項」にとりかかることになりました。

資料台紙とは別に、人名・地名などの固有名詞、補充すべき専門用語、方言などが五万項ほど予定されていたので、全体の予定項目数の四十五万からこの五万を差し引いた四十万ほどの項目を選び出す作業が始まったのです。

立項。この辞書には、一体どのような項目を収録するのか——まさに辞書作りの基盤です。しかし、だからといって、これに五年も六年も費やすわけにはいきません。時間をかけるべき仕事は他にまだまだあるからです。

しかし、数百万枚もの資料台紙の量の膨大さに圧倒され、これを誰が、どういう基準で立項したらよいのか見当もつかない有様でしたが、とにかく到底一人ではおこなえそうもなかったので、数人で手分けして進めることを考え、週に二、三日、時間を割いていただける先生に協力をお願いしました。

ところが、着手してみると、同じ時間に全員が顔を揃えるのが難しく、意思統一が困難だということがわかってきます。人数の多さがかえって非効率を招いてしまいました。結局、一人でおこなうべきという結論になり、週四日を辞書の仕事に集中していた私が担当することになりました。もともとが『大日本国語辞典』の改訂版から始まったといういきさつもあり、しょうがないという思いもあったのです。

さて、どうするか……私が最初に取り組んだのが、「な行」での実験でした。「な行」は約一万項目と手頃だったので、どのくらいで立項できるか、実際に試してみたのです。

「な行」の一万項目は約十日間で終えることができました。一日平均約一〇〇〇項目です。月に約二十日、祝祭日を考えて年に約二二〇日を稼働できると考えたら、年間で二十二万項目は消化できそうな感触です。二年あれば立項は終わる計算です。

一日あたりでは、一〇〇〇項目に七時間をあてるとして、一項目平均約二十五秒のスピードで取捨を決めていかなければなりません。二十五秒で選択……非常に大変なように思えますけれども、たとえば「ある」という語、これは入れますよね。「歩く」、これも当確じゃないですか。これらは一秒もかからないわけです。

ただ、複合語にあたると止まってしまいます。「歩く」は入れたが、「歩き続ける」まで入れるのか？　一つ立てると統一上からは「〜続ける」はすべて入れなければならなくなってしまいますね。同様に、「〜始める」「〜過ぎる」など、動詞に補助的な動詞が付いて複合動詞になっている項目は悩まされました。捨てると決めて処理していったら、有名な古典に用例が多く出てきたり、小型辞典に収められていることが分かったりすると迷いが生じ、元に戻って立項しなおしたこともあります。結局は、意味・用例などを見渡して、入れておいたほうが利用者にとっては便利だろう、という主観的な判断によって決めていかざるを得ませんでした。

また、複合語や派生語の取捨選択も大きな問題になりました。たとえば、「自然主義‐作家」「宿泊‐料金」というような複合語は、上下の要素共に独立性が高く、それぞれの要素の意味が分かれば全体の意味も分かるので立項の必要はないでしょう。では、「自然主義‐者」「宿泊‐料」はどうか？　下の要素の「者」「料」の独立性は低いですが、これを入れると「～主義者」を皆入れることになりますし、「下宿料」「使用料」「入場料」も次々に入れなければなりません。とはいえ、「者」「料」がついて上の要素の独立性が高いものでも、「学‐者」「初心‐者」「調味‐料」などはどうしても立項したいところです。悩ましい……このような基準を立てたり見直したり、試行錯誤しながら進めていく中で、『日国』ならではの特色も生まれてきました。小さい辞書ではスペースの関係で見出しに立てにくい複合語、それも普通語というべきものを多く採り入れることになったのです。

たとえば「愛国」のほかに「愛国家」「愛国者」があり、「音楽」のほかに「音楽家」「音楽者」も出ています。これについては、「愛国」「音楽」でその意味がわかり、「者」「家」で人を表すということがわかれば、「愛国者」「音楽家」などの見出しは不要なのではないかという意見もあります。その語の意味を知ろうとするだけなら、その考えももっともでしょう。しかし、「愛国者」や「音楽家」がいつごろから使われているかを知ろうとする人には、その見出しを立てて、用例を挙げておくことが役に立ちます。また、「愛国家」「音楽者」の項があって用例が添えてあれば、今普通に使われている「愛国者」「音楽家」以外に、明治時代には前者に「家」、後者に「者」をつける言い方があったこともわかるようになるのです。

もちろん、理想を言うなら、こういった複合語のすべてを見出しに立てたいところですが、いくら大きな辞書でも、無制限に入れることはできません。複合語の取捨は、どんな国語辞典にもある悩みであり、重い課題であるといえるでしょう。

やれども尽きない立項作業でしたが、ともかく二年余りで約五十五万の項目の取捨を終えることができました。うずたかく積み上げられた資料台紙の山が一気に減ることはありません。地道に突き崩していくほかない。しかし、少しずつでも、とにかく欠かさず継続していく。それが何よりも大切であることを、立項作業は教えてくれたのです。

そういえば、祖父の松井簡治も朝三時に起きて、仕事に行く前の八時まで、一日三十三語を処理化する、という目標を立てて『大日国語辞典』を作っていた。そして、父もそうだった。同じような取り組みです。これは小学館の編集者に指摘されて気づきました。コツコツと継続していく適性は、確かに祖父譲りだったのかもしれません。

作業中断！ 用例を集めよ

試行錯誤の繰り返しで立項をおこなっている間、次の段階も動き始めました。それは、立項が終わったところから、一語一語の原稿を執筆していく作業です。この仕事は編集委員の推薦により、一〇〇名以上の先生の参加を仰ぎました。昭和四〇年の夏に説明会を開いて協力を要請しましたが、中には見出しを現代仮名遣いによって表記するのは納得できない、と参加を断る先生もいらっしゃいました。

確かに、古典語に現代仮名遣いを適用するのは少々無理があります。たとえば、万葉集にある枕詞「あぢさわふ」の現代仮名遣い表記は「あじさわふ」「あじさわう」「あじさおう」のどれが良いか。「蓬生」は「よもぎふ」「よもぎう」「よもぎゅう」のどれが適当か。問い詰められると困惑してしまいます。しかも、当時の国語辞典界では、表音式仮名遣いの見出しが大勢を占めており、現代仮名遣い方式はまったくの少数派でした。抵抗を感じる先生が多かったのも当然です。それでも、説明会に集まった大半の先生が協力してくださることになり、原稿執筆が始まりました。

ところが、少しずつ集まってきた原稿を見て、私は頭を抱えました。用例があってしかるべきなのに用例が添えられない項目が相当数あることがわかりました。実は立項の段階で、もう少し用例がほしいと思ってはいたのですが、集まった原稿の中から用例のない項目だけを表に書き出してみると、その多さに愕然としたのです。

たとえば「愛飲」「哀歌」「愛玩」「哀話」など、軒並み用例がない項目が並んでいます。恐らく、資料から言葉を拾い上げる際、とかくわかりにくい語や珍しい語、特殊な意味に使われている語などこにまず目が留まり、ごく普通の日常語が見落とされてきたためでしょう。

原稿執筆は進んでいて、その説明が優れているかどうか、これももちろん大事です。しかし、引いてみて用例がほとんどないというのでは、秀逸な説明でも信用度が落ちてしまうのです。一方、用例が多ければ説明の不備を補う役目も果たしてくれます。一にも二にも時間をかけて用例を集めなければならないのは、そのためなのです。

見切り発車がつきものの辞書編集ですが、さすがにこれは看過できません。これまでせっかく時間をかけて語を拾い上げてきたのだから、もう一息粘ろう。普通の語にも、何とかして用例を少しでも添えたい。そこで、思い切って執筆作業を一年ほど中止し、用例を補う作業を集中的におこなうことにしました。

核として採りあげた資料は、井原西鶴、近松門左衛門の主要作、滑稽本の『浮世床』『浮世風呂』、人情本の梅暦物など。明治以降は森鷗外、夏目漱石、二葉亭四迷の諸作などです。当たる作品を絞り、集中的に用例を拾っていくと、意外に埋まるものです。

採集カードが増えるにつれ、この集中採集の効果を私は実感しました。

前に挙げた「愛飲」などの漢語のほとんどに用例が添えられるようになったからです。また、既に用例のあった項目に、より古い例を追加することもでき、少しずつであっても、絶えず積み重ねていく作業が大きな力を発揮するということを、再び痛感させられたのです。こうして、あらためて本格的に執筆の依頼を再開することになりました。

語釈をどう記述するか

五十万に近い項目ともなれば、その原稿は大勢の人にお願いして手分けをして書かなければなりません。しかしそれは裏返して言えば、大勢で取り掛かればどうにかなるということでもあります。辞書に盛られる情報の中で、多くの人が知りたいと思うものの一つに語義があります。すなわち言葉の意味です。ここで重要になるのが語釈、いわゆる語義の説明です。

以前の国語辞典では、Aという見出し語の説明として、それと類似した意味のBという語で言い換えるということが広くおこなわれていました。

日本語の辞書に対する不満な点の一つとしてよく言われるのは、類義語の間の違いが明示されていないことです。たとえば、「避ける」を辞書で引くと

「身をかわす、よける」

とあり、「よける」を引くと、

「身をかわす、さける」

とあったりして、「避ける」と「よける」とはまったく同じ意味のように説明されているものが多

いんですね。

「車を避ける」
「車をよける」

のように「避ける」とも「よける」とも言える場合があることは確かである。では、この二語はまったく同じかというと、決してそうではありません。

「時間をずらして混雑を避ける」

は自然な言い方だが、

「時間をずらして混雑をよける」

とは言わない。いやな物事にかかわらないようにするのは「避ける」であって「よける」ではないからです。また、

「相手の刀をひらりとよける」

は自然ですが、

「相手の刀をひらりと避ける」

はおかしくありませんか。実際に迫ってくるものに触れないようにするのは「よける」であって「避ける」ではないからである。最初に挙げた車の例でも、「避ける」は、

「車を避けて狭い裏道を行く」

のような場合がふさわしく、「よける」は、「道の端に寄って車をよける」のような場合がふさわしいことになりますね。

『日国』では、こういった言いかえをできるだけ避け、用例から帰納してわかりやすい表現で詳しく説明するという方針を取っています。分量のあまりの多さ、担当執筆者の多さから、そこまで徹底できたとは言い切れませんが、とにかく単なる言いかえを避けて詳しい説明をしてもらおう、と心がけてきたつもりです。

そのためもあってか、以前の辞書のような、引き締まった文語調の表現に比べ、語釈はだらだらとした感じでしまりがない、という指摘を受けたこともあります。日本語教育が盛んになった現在でこそ、語の詳しい説明も珍しくなくなりました。しかし、四〇年前では少々違和感があったのかもしれません。

ただ、これまでの辞書が単なる言い換えにとどまってきたのを見過ごすわけにはいかない。原稿執筆者にも「言い換え」を脱却してもらわなければ、辞書の新しい時代は見えてこない。私はそう考えていたのです。

原稿できて、いまだ道遠し

こうして、原稿執筆は大勢の先生方の協力によって着々と進んでいきました。原稿が出来上がると作業の半分以上は終わると一般には思われがち。しかし、用例を多く伴う大型の辞書の場合、その後の作業のほうが実は大変なのです。

まず、大勢の手によって書かれた原稿ですから、少数の人数で記述を統一しなければならない。この仕事もさることながら、さらに時間がかかるのは、引用された例の一つ一つを、こちらで定めた資料にあたり直して確かめるという作業です。

たとえば『源氏物語』と一口に言っても、現在伝わっている本文には種々の違いがあります。そこで『源氏物語』を引用する際にはこの本に依ったのだということを明らかにしなければなりません。どれを参照元、いわゆる「底本」にするかを検討し、その本にあたって引用箇所を確かめて誤りがないようにするのです。これは『源氏物語』だけに限らず、すべての資料に共通することです。『源氏物語』のように索引ができているもの、または数ページの分量のものならまだよいのですが、用例の箇所を探すために何十ページ、何百ページと見なければならない場合には、それだけで何時間も費やすことになってしまいます。原稿は一〇〇人の人に頼むことも可能ですが、この作業はそうはいきません。資料がそろっている場所でやる必要がありますし、あまり大勢では一つの資料の取り合いになることも起こって能率が上がらないからです。

しかも、底本にあたり直してみると、見出しにあたる語が異なっていて用例として採れないということも中にはありました。そうなると、差し替え、補充といった調整作業が必要になるのです。

この作業を、編集部では「出典検討」と称し、きわめて重要視していました。『日国』では、用例こそが生命であり、いわばこの仕事の良心を代表するものだと考えていたからです。

心の中心で「もっと時間を！」と叫ぶ

原稿ができあがったというだけでは、作業は半分も終わっていません。これは実際に経験してみないとなかなか理解しにくいこと。しかし、辞典を作った経験があっても、そう考える人がいるのですから、困りものです。大きい辞書を作る場合には、そんな「何を悠長にやっているんだ」という視線に耐えつつ、心の中では「もっと時間を！」とつぶやく。それが辞書編集者の本音なのです。

初版の編集も佳境に入る中、どうせやるのなら全力を尽くして悔いのない仕事をしたい。そういう気持ちで私は教職を辞し、辞書に専念する覚悟を決めました。「何も辞めなくても」という周りの声もあったのですが、辞書は自分に合った、まさに天職であり、また、自分の時間をすべて当てることによって何とか力のなさをカバーしたいという気もあったのです。編集作業を進めていく中、古典に関する知識が乏しく、時代別の部会に出席すると知らない資料が山ほどあることを痛感していた私にとって、せめてすべての時間を辞書に注いで、自分の力のなさを補うより他はありません。

それまで、勤務校の理解と好意に甘え、辞書編集に相当の時間を割いておりましたが、学校からもこれ以上特別扱いはできないと言われており、小学館からは辞書に専心してほしいという要望もありました。こうして、辞書作りに集中させていただくことになったのです。

同僚の先生には用例カードの整理、台紙の統合などでご協力をいただき、私の教師人生は本当に恵まれていたものだとつくづく思います。

種々の事情で、教師から完全に手を引くまではなお数年を要しましたが、ともかく辞書編集を本業とする生活が、昭和四二年の春から始まったのです。

日本大辞典刊行会、旗揚げ

しかし、編集作業に専心することを決めた私ですが、なかなかスムーズには作業が進みません。やはり出典検討が立ちはだかります。大部な資料で索引のないものは、引例の該当箇所を見つけ出すまでに相当な時間もかかります。一日かかってやっと一つ、二つの例が確かめられたというのもざらでした。どうしても見つからない場合は別の人に回して新しい目で探し、それでも見つからなければ用例の差し替えに、同じ意味のものを探す——時間だけは容赦なく過ぎていき、苦心惨憺の中、この作業には七年もの月日を費やすことになりました。

用例調整の後には、専門の先生にお願いする意味解説の検討、表現の統一などが控えています。この段階では、場合によっては解説の書き直し、意味分類の再構成も行われますから、またしても用例の洗い直しが必要になることもあります。また、固有名詞や解説量が膨大になる基礎語項目、代名詞、副詞、接続詞、感動詞など記述の形式に統一が要求される項目は原稿の段階から別扱いにしていましたし、歴史、仏教その他の専門用語は原稿を抜き出して専門家に回しています。

対策をいろいろと編集部も考えていましたが、仕事は遅々として進みません。出典検討を終えたとして、残りの作業を進めたらあと何年かかるか。一同で推計して出てきた数字が一〇〇年というものでした。この数字に、私たちは言葉を失いました。いかにしてこれを二十年に短縮するか。そして可能な限り、十五年、十年にしていくか。それが、大きな課題になったのです。

原稿調整の先生の人数を増やすということをまずは考えました。しかし、引用資料が多く、その使用には細かい取り決めがあるため、自宅では処理しにくい部分がおおいこと、大勢になればなるほどその調整に違いが生じ、それをさらに統一するという手間が発生しそうなことから、この方法は見送りました。結局は編集内部の人手を増やし、そこで処理できるものはなるべく消化し、先生方の負担をいくらかでも軽くしてスピードアップを図るよりほかはありません。そこで生まれたのが、「日本大辞典刊行会」という組織でした。

この組織は昭和四六年二月、小学館から移った十一名で発足し、その後社員を募集して二十余名になり、出典検討や原稿調整、その他方言、語源説、発音、アクセント、語音の歴史、古辞書欄などの追記、固有名詞・百科語のまとめ、図版資料の選定など、すべき仕事は山ほどあります。

社員は各部署で全力投球し、完成した原稿は浄書して編集委員の校閲を経ていきました。原稿を印刷に回してゲラ刷り（校正刷りのこと）が出始めるころには校正専門の社員も加わり、ますます活気を増していきます。初校（最初の校正）、再校（二度目の校正）、三校（三度目の校正）と進んでいくと、原稿を整える仕事とも重なって作業量も膨大に。刊行会の社員はピーク時には九十名を超えたこともありました。

一巻、一巻ずつ全巻の終わり

ようやく昭和四七年末に第一巻が刊行。しかし安心することはできません。まだまだ時間との闘いは続きます。このときまだ、「か行」が進行中だったのです。これではとても予定通りに刊行できそうもありません。一巻のゲラ刷りを見た感覚でいうと、四か月に一巻をまとめるのが適度なペースだとわかっていました。しかし、公約では二か月に一巻の刊行です。内容検討の密度を変えたくはありませんから、どうしても一日の仕事量をそれまでの二倍にしていかなければなりません。

この頃、私は一日に十二時間〜十四時間ほど辞書の仕事にあてていたでしょうか。ある語について調べたり考えたりしていると、一、二時間などすぐに経ってしまいます。一日というのはこれほど短いものだったのかと痛感したのも、この頃でした。もう少し調べたり書き直したりしたいと思った項目を前に、時間切れであきらめなければならないのは辛いことです。社会人ですから、ある程度の付き合いを外すわけにもいかず、会合なども三度に一度は付き合わざるを得ません。私は会食して深夜に帰宅した時でも、一時間ぐらいはゲラ刷りを見るようにしていました。それをやらないと、ページ数が消化できませんでしたから。

こう書いていると、逐一ではなく、全巻の原稿がおおかたできあがってから刊行を開始すればよいではないか、と思う方もいらっしゃるでしょう。しかし、それを待っていたら一〇年、二〇年経っても出版できるかどうかわかりません。原稿を見ていると、手直ししたいところが次から次へと出てきて、これで完成ということにはなかなか至らないからです。

そんな状況で良い仕事ができたのかと危ぶむ人もいるでしょう。しかし、人間というのは不思議なもので、時間がたっぷりあると緊張感が薄れ、誤りをおかしたり、怠け心が出たりということもあります。時間内に仕上げようと思うからこそ、思いがけない力が出たり、名案が浮かんだりすることもあるのです。もっとも、当時の私は四〇代。社員のみんなも若かったからこそ成し得たことだとは思います。

そして昭和五一年二月、多くの困難を乗り越えてどうにか予定通り完結までこぎつけることができたのは、刊行会の社員がそれぞれの持ち場で全力を発揮してくれたこと、そして多くの関係者の奮闘があったことに尽きるでしょう。あらためて、今初版を開いてみると、遅れることなく進めていこう、そんな気概がページのそこかしこから感じられるような、そんな気がしてならないのです。

ここまで来るのにずいぶん長い道のりを歩んできたように感じていましたが、数えてみれば、昭和三六年の最初の準備委員の会合から、十五年足らずに過ぎません。祖父の簡治が辞書づくりを決意してから刊行までに二十三年かかっていますから、このような大辞典としては短すぎる年月での完結、と言えるでしょう。

理想の国語大辞典の完成には十分な時間が必要です。

現実の前では理想論にすぎないかもしれない。しかし、よい辞書ができるなら二十年でも三十年でも待とう。そのように思う読者が一人でも増えてほしい。これは辞書を編集する者の切なる願いなのです。

二版へ、そして、まだ見ぬ三版へ……

そして初版完結から十四年後の一九九〇年。いよいよ二版の編集がスタートするわけです。初版は、正直言って「巻き込まれた」仕事でした。ところが、初版の刊行中から既に新しい用例が見つかったり、採り入れたい新語がどんどん出てきたりもしました。やり残したことが随分出てきていただけに、二版についてはかなり前のめりで、どうしてもこの仕事をやりたい、と思ったものです。

文字通り、一から作った初版と違って、用例の補いや差し替え、意味の追加や語釈の手直しなどの作業は、いわば加筆・修正の作業です。約三〇人あまりに協力を仰ぎ、5年ほどで作業は終わりました。初版では一〇〇人以上の協力者と一〇年近くの月日を要しましたが、二版では、大幅に手間を減らすことができました。

二版で新しく立てた項目は、初版と比べれば比較的容易にわかりますが、用例が新たに加わったとか、意味分枝が増えたとかいう事柄は、さして目立つものではありません。新しい辞書は「〇万語を収録！」などと謳われますが、「用例を〇例追加！」と言われることはないように、です。

しかし、そういう努力こそ認めてほしいものだと考えています。初版にはまったく用例がなかったが、新たに用例を添えることのできた項目は二万五九〇〇あまりにのぼりました。これは、初版完結から二十五年という余裕を持って進めた編集作業の大きな成果だと思っています。これ以外にも、より古い例を示すことができた項目、用例によって意味分枝を付け加えた項などの数はこれに匹敵するほどあります。

初版のときは、古典を中心に文学作品から用例を採集しましたが、二版のときはそれに加えて学者が執筆した読み物、随筆へも範囲を広げるなど、幅広い分野の書物から言葉を拾い出しました。今後は、理系の文書やスポーツ関係の書籍などにも対象を広げ、幅広く専門用語を収集していく余地があると思います。

しかし、そのような第二版でも、まだまだ十分というにはほど遠い。現に、第二版完結から一〇年を経た今、補わなければいけない用例が既に数百は手元にたまっています。来たる第三版に向けての資料は日に日に増えていくばかりなのです。

項目数の多さを徹底比較

ある語について意味を知りたいと思って辞書を引いたとき、いくら内容が優れた辞書であっても、その語が載っていなければ辞書として役には立ちません。そういう点では、収録項目数は多ければ多いほど良い、ということになります。

『日国』の特色の一つは、何と言っても情報量の多さにあるのではないでしょうか。それは項目数、用例数が多いことに加えて、他の辞書には見られない語源説、発音、古辞書の欄を設けていることに現れています。

また、普通語以外にも、動植物名をはじめとして、各学問分野の専門用語や人名・地名などの固有名詞にも及んで収め、さらに方言、隠語、外来語、慣用句・ことわざの類も広く採り入れています。試しに、「足」の項の子見出しになっている慣用句やことわざの数を見ると九十六項もあり、これは『広辞苑』三十項のおよそ三倍、『大辞林』十九項の五倍以上です。「手」の子見出しは二三三項あり、これも他の中型辞典と比べると軽く二倍以上の数なのです。

『日国』第二版は、収録項目数が約五十万で、これまでに類のない大きい辞書だと言われています。しかし、実は項目数だけでいえば、昭和九年～一一年に平凡社から刊行された『大辞典』は七十余万項目を収めたと謳っていますから、こちらのほうが項目数では多いということになります。しかし、大きいという場合は、項目数だけを言うわけだけではなく一項目に割いたスペースも無視できないでしょう。一項目の分量が大きいということは、解説が詳しく、用例や、その他知りたい情報が豊富におさめられていることの証拠だからです。

この観点から他の辞書を調べてみますと、『広辞苑』『大辞林』『大辞泉』など中型辞典の一項目の平均文字数は六〇～七〇字。祖父が手がけた『大日本国語辞典』はというと、項目数約二十万、一項目平均約七十七字でした。

さて、『日国』ですが、初版は約四十五万項で、一項目平均一五〇字、中型辞典の二倍以上のスペースを割きました。そして、二版では項目数が増えて約五十万項目となった上に、一項目平均の字数も一八〇字に及んでいます。二版に至ってさらに、類書に比べてずば抜けた情報量を収めていることになり、最大の国語辞典と言われることも納得していただけるでしょう。

ちなみに、最近流行っているというツイッターの文字数は一四〇文字、ショートメールが一六〇文字だそうですね。気軽に書いたり読んだりするのに適当な文字数なんだそうですが、『日国』の語釈の文字数がこれに近いということはうれしい偶然です。

閑話休題。さて、文字数による情報量が最大であることは数字の比較でおわかりいただけたと思いますが、欠けている情報もあります。たとえば漢字表記で、その漢字が常用漢字か否かなど示していません。現代表記に関しては小型の国語辞典に譲ろうというのが方針だったからです。『日国』の読者は何を求めて辞書を引くのか。そう考えたとき、私たちが追及するところはおのずと見えてきたのです。

もちろん、これで十分だというわけにはもちろんいきません。研究の進展に伴って、情報として追加すべき事柄がどんどん増えているからです。古い時代の資料からも、まだまだ補わなければならない語句があり、現代に至っては、新しい事象や概念が次々に発生し、それを表す言葉がどんどん生まれてきているのが現実です。項目数も現状で満足するわけにはまったくいかないことがわかります。一〇年おきぐらいには改訂・増補を行い、成長を続けていかなければならない。それが辞書の持つ使命なのです。

次の改訂に向けて、そのような点も再検討し、さらに良い、使いやすい辞書を目指していきたいと考えています。辞書作りは、私たち辞書編集者にとって、終わりなき旅とも言えるのです。第三版を担当して受け継いでいく編集者が出てくるかどうか、それがやや気がかりではあります。私は生涯、手を加える仕事をお手伝いしていきたいと思っておりますが……。

芥川龍之介は辞書を「読んだ」

辞書編集者の静かな時間

辞書編集者にほっと一息つく時間があるとしたら、それは大きな辞書の刊行が終わってから、次の改訂に至るまでの期間、ということになるでしょうか。この間は締め切りに追われることもなく、かねてからやりたかった言葉の研究、調査に取り組める時間が到来するのです。

昭和五一年、『日国』初版全二十巻の刊行が終わり、使命を果たした日本大辞典刊行会は解散。小学館の教科書部門を担っていた尚学図書に言語研究所が設けられ、私はそこに勤務することになりました。そこでは、『日国』初版をもとに派生した様々な企画を形にし、将来の改訂に備えるということが私の役割になりました。ここでの成果は『国語大辞典』『現代国語例解辞典』『四字熟語の読本』などに表れています。

ただ、これが私にとって、久しぶりに訪れた静かな時間でした。しかし、ゆっくりと休むわけにはいきません。読者から届いた指摘に「なるほど」と思ったり、少しでも何かを読んで用例を拾っておこうと考えたり。徒然なるまま、国語、言葉について思いを巡らせたものです。そして、かねてから考えてきたある計画にも取り組むことにしました。

それが『日国』の収載項目数をはっきりさせることです。初版は二十巻。これほど大きな辞書で、全体の品詞別の数が明らかにされているものはこれまでなかったことです。

もちろん、今はコンピューターでデータを整理していますから、数えようと思ったらキーボードに触れるだけでできるでしょうね。しかし、もともと人力で活字をコツコツと組んで完成した辞書です。第二版ではＯＣＲ（電子読み取り機）で読み込み、データ化するという作業も始まりましたが、ＪＩＳ規格外の漢字も一万五〇〇〇字を超えていますから、そう簡単に電子化できるものではなかったのです。

四十五万もの項目を一つ一つ数えていく。誰でもできそうでいて、誰もやらないことではありません。私は、誰も手を付けたことのない取り組みだからこそ、これが達成できたら、日本語の実態の一面を知るよい資料になるのではないか、と考えました。

約四十五万語を独力で計算

地道に一ページずつ数え続け、品詞別にリストを作り終えたのは約一年後のことです。数え終わってから、一度「空見出しをどうするか」ということで考え直し、数字を修正しました。空見出しとは、たとえば、

■あいず【会津】↓あいづ（会津）

のように、解説や用例をすべて↓の下の項目に譲ることを示した見出しのこと。あくまで引く人の便宜を考えて立てている見出しなので、一項目としては見ないほうが良いと考え、修正することにしたのです。

さて、その結果、『日国』初版の総項目数は四十四万九六一四であることがわかりました。目標とした四十五万がほぼ達成されており、私たち編集陣もほっとしたことを覚えています。

このとき整理した数値によると、各行の構成比は「あ行」が全体の約一六パーセント、「か行」が約二一パーセント、「さ行」が約一九パーセントでした。

みなさんがお持ちの辞書を手に取ってみてください。ほとんどの辞書で、全ページの半分に及ぶところは、ちょうど「さ行」、だいたい「し」の辺りになっているのではないでしょうか。辞書編集者は「し」で始まる項目が終わると、だいたい折り返し地点、一息つく人が多いようです。『日国』も然り。「あ行」「か行」「さ行」だけで約五六パーセントと、半分を超えています。日本語の語句がいかに「あ・か・さ」に集中しているかがわかるでしょう。

ともあれ、この計算により、『日国』の私の仕事にも一区切りがつきました。顧みれば、出発した当初はどんなものができるか不安いっぱいでしたが、大勢の協力者のご尽力のお蔭で、「国語辞典の礎石になる」という当初の目的は一応果たすことができたのではないかと思っております。しかし、この品詞計算をもって初版のとりあえずの区切りとするならば、心ゆくまで一人でできたのは、この作業のみだったと思います。用例採集も、立項も締め切りがなければ、自分の納得いくまま、何年かかってでもやり遂げることができたでしょう。

ただ、いくら時間がかかってもいいと出版を無期限延期してくれる出版社はありません。一企業の事業の一つとしておこなうわけですから、私たち辞書編集者はどこかで妥協しなければならないのです。では、「オックスフォード英語辞典」「フランス語宝典」など、海外では大規模で権威のある辞典が編まれていますが、これらの事例のように、公的な機関が潤沢な資金を出し、長い時間をかけて作ればいい辞書ができるのでしょうか。それは、古今の辞書作りを見るにつけ、必ずしも「イエス」とは言えない部分があります。

明治時代のことです。時の政府が主導し、『語彙』という辞書が企画されました。しかし、「あ」から「え」の項までで十三年かかったそうです。しかも、そこまでの作業量の膨大さから、その企画は頓挫してしまいました。その『語彙』を引き継いでまとめるよう文部省から依頼を受けたのが国語学者の大槻文彦でしたが、やはり出版には至りません。やむなく、大槻が一人で作業を進め、何とか自費出版のような形で完成させたといういきさつもあります。また、さらに後年、国立国語研究所が「歴史的国語辞典の編集」事業を推進させましたが、これまた国立国語研究所が改組されたり、研究所が移管されたりといった波乱の中、幻と消えてしまいました。公的な機関が辞書作りをやると、締め切り効果が働かないのかなぜなのか、日本ではなぜかうまくいかない。これが定説になってしまっているんです。

辞書はどんなときに引きますか?

辞書は飾るためではなく、実際に引いて、使われるために存在します。辞書編集者にとっては、辞書がどう使われているか。これは最も気になるところでしょう。

私が書きとめておいた過去のアンケート調査によると、「本を読むときたびたび辞書を使う」という人は、全体の五、六パーセントしかいません。ところが、「書くときに使う」という人が四割ぐらいを占めるんですね。この四割の方はどういう目的で使っているかというと、「漢字を確かめる」目的が、だいたその半分ぐらい。「意味を知るために引く」という人が三割強という結果でした。意味を知るためにという人もいるにはいるはずなんですが、それでも三割程度ですから、日本人はわりあい辞書を引かないと言ってもいいと思うんです。

芥川龍之介は辞書を「読んだ」

読むときよりも書くときに引かれることが多い。これが日本の辞書の使われ方の特徴ですが、これはなぜかというと、日本文を読む場合、読みや意味が正確にはわからなくても、多少はあやふやであったとしても、漢字から何となく意味を推測したり、話の流れに助けられたりして理解できるからではないでしょうか。

一方、文章を書く場合は、自分で意味のわかっている言葉しか使わない。だから引く必要はない、と思っている方もいらっしゃるでしょう。しかし、ここに落とし穴があります。意味のわかっている語というのは、厳密に言えば、わかっていると「思っている」語ということなのです。ですから、実は不正確だったり間違っていたりすることも多々あるのです。

近頃、「気がおけない人」は、気の許せない人（正しくは、気がね・遠慮をする必要がない人）

「住めば都」は、住むのなら都がいいということ（正しくは、どんな所でも住み慣れるとそれなりのよさがあるということ）

「情けは人のためならず」は、情けをかけるのはその人のためにならないということ（正しくは、人に親切にしておけば必ず自分にもよい報いがあるということ）だと誤解している人が多くなっている。こんなニュースを目にした方も多いでしょう。いわゆる「言葉の乱れ」は昔からよく指摘されるところです。

また、「危機一発」（正しくは危機一髪）

「言語同断」（正しくは言語道断）

「短刀直入」（正しくは単刀直入）

など、漢字の使い方の誤りもよく指摘されています。

こういう誤りは遠い将来はどうなっているかわかりません。「青空」や「天国」の読みの清濁の変化と同じく、いつか変わっていくものかもしれない。それはわかりません。

しかし、現在はやはり誤りと言わなければなりません。だから、自分でわかっているつもりで、このような表現を使った場合、相手に真意が伝わらなかったり、無知を笑われたりすることになりかねません。

特に、慣用句やことわざの類を使うときは、わかっていると思っても念のため辞書を引いて確かめるという心づかいがほしいものです。

辞書を引く習慣は環境から

ところが、そう言われてなるほどと思ってもなかなか実行できない人が多いものです。それも引く価値のある国語辞書が出ていないからというような理由ではなく、引こうと思ったが、辞書が近くになかったので取りに行くのが面倒だったからとか、手元にあったが引くのが億劫だったからといった単純な理由である場合がほとんどです。要するに、辞書を引くという習慣がなかなかついていないのです。そういう人は辞書がどうしても必要なときにだけ引けばよいと考え、それ以外のときに親しもうとはしません……。

では、その習慣をつけるためにはどうしたらよいのでしょうか。まず、辞書をすぐ手の届くところに備えておくことです。ある学者は、すべての部屋に一冊は必ず辞書を備えるようにし、トイレにまで置いてあるそうです。家のどこにいてもその気になればすぐ利用できるようにしているわけです。そこまでしなくともよいですが、家族と一緒に生活しているのであれば自分の机のそばに一冊、食卓のある部屋に一冊ぐらいは備えておきたいものです。話し合ったり、テレビを見たりしているとき、必要に応じてすぐに引くことができるでしょう。

芥川龍之介は辞書を「読んだ」

その場合、二冊の辞書は同じものでも構いませんが、できれば内容や規模に差があるものにしておくほうが得策でしょう。どんな辞書でも一長一短があるものです。違うものであったほうが補い合ってくれるという意味で望ましいのです。ともかく、いつでも手が届く場所に辞書が置いてあるという状況を作り出すこと。それこそが大事なのです。

子どもさんがいらっしゃる場合、小さいころから辞書に親しんで「引く」という行為に慣れておくと、きっと良い習慣づけになります。インターネットで何でも検索が素早くできてしまう今だからこそ、「辞書を引く」という行為を大事にしていきたいものです。

「全然ある」は、全然ない？

さて、先ほど「気がおけない人」「情けは人のためならず」などの誤用について書きました。「遠い将来はどうなっているかわかりません」と書いたのは、「誤った使い方だ」と言われているが、昔はそのような用法で使われていた、という場合も多々あるからです。

たとえば、「全然」という言葉です。これも国語辞典などでどのように書いたらいいかということが問題になっていますよね。これが若者を中心に「全然面白い」とか「全然素敵だ」などという風に使われていて、もともと否定の言い方「全然〜ない」と言わなければならないのに、そうではない言い方が広まってきて嘆かわしい。そのようなことをおっしゃる方も多くいらっしゃいます。

ところが、これは近代文学で調べてみますと、実は「全然〜ない」ではなくて、肯定の言い方に使うというのは古くから非常にたくさんあるんです。

■僕は全然恋の奴隷であったから彼少女に死なれて僕の心は掻乱されたことは非常であった〈国木田独歩『牛肉と馬鈴薯』明治34年〉

■これまで考へてゐた女性観の全然誤ってゐた事を知って、嫉妬の怒りを発する力もなく、唯わけもなく欝ぎ込んでしまった。〈永井荷風『つゆのあとさき』昭和6年〉

といったように、「全然」のかかるところが肯定形のものは多いんですね。これが普通の言い方であったということは、「全然」というのが今の使い方と少し違っていたのではないかと思うんです。今、「全然」というと「非常に」というのに近くなってきてしまっているんですね。「全然面白い」というのが、「非常に面白い」の代わりに使われる。これはちょっと変じゃないかということになります。ただ、もともとの「全然」というのは、「始めから終わりまで」「何から何まで」「残らず」「すべて」という意味なのです。それならば、「すべて〜ない」という言い方もできるし、「すべてだ」という言い方もできるわけです。

つまり、元来「全然」は肯定にも否定にも使えた言葉でした。ただし、意味は「何から何まで残りなくすべて」という意味です。ところが、現在おかしいと指摘されている「全然」は、もうそのような意味は消え去り、「とても」とほとんど同じに使われてしまっています。それが、従来の使い方をする人に違和感を持たれるゆえんでしょう。今後、年代の変化につれ、「とても」と同じように、おそらく「全然おもしろい」という言い方がだんだん広がっていくかもしれません。そうなると、これは全然不思議なことではなくなってくるのではないでしょうか。

かくいう私も、大いに違和感を持っている表現があります。それは、電車の中で表示されていたり、車掌さんがアナウンスしたりする

「ドアに手が挟まれたり戸袋に引き込まれないようにご注意ください」

というメッセージです。「〜たり」ときたら、もう一つ「〜たり」がつかなければ、つまり、

「ドアに手が挟まれたり、戸袋に引き込まれたりしないようにご注意ください」

であるべきなのではないでしょうか。もちろん、私は声高に「けしからん!」と言うことはありません。自分では決して使わないけれど、「妙な言い方をするものだな……」と興味深く眺め、記録していくだけなんです。私の祖父をはじめ、古今東西多くの言葉の研究者たちは、どういう感慨で言葉の変化を見守ってきたのか。自分の違和感と重ね合わせ、大いに気になるところです。

辞書を読む

改訂作業に向かう前の静かな時間では、読者の声に目を通すことが多いと述べましたが、『日国』初版のように刊行終了まで時間がかかる場合、第一巻が発刊されて早々に手紙が舞い込んだものです。さて、何が書かれているのか……と開封してみますと、それは、「こんな辞書じゃ使い物にならない。早く全部出してほしい！」というものでした。そう、第一巻といっても「あ」から「い」の初めの部分しか収められておりません。当然、辞書を引きたい方は「あ」「い」のつく言葉だけを引いてもしょうがないわけで、このお手紙のご要望は誠にごもっともなのです。

しかし、だからといって短期間のうちにどんどん出すというわけにはいきません。これまでもほとんど直す必要がないと思っていた項目でも他の語との関係で書き直す必要が出てきたり、新しい研究成果が発表されて採り入れなければならなくなったり、より良い実例が見つかって入れたくなったり、その実例によって書かれていた説明の不十分であることがわかるとか、新しい意味を加えなければならくなるということが起こったり、まったく、きりがないほど手数がかかるのです。

それに、一巻に収める分量が多いから、原稿を印刷所に渡してから校了まで約一年の月日が必要になります。同様に大部の『大漢和辞典』は五か月に一巻のペースで刊行されたことを考えると、

芥川龍之介は
辞書を
「読んだ」

『日国』の二か月に一回というペースがいかに大変なスピードであるかがおわかりでしょう。ただ、言い訳ではありませんが、こういう大きな辞書は実は一巻だけでもいろいろ役に立つし、楽しむこともできるのです。それは「読む辞書」として利用することです。殊に、現在日本語で日常普通に使っているような基本語の類は、引くことはあまりないであろうから、何かの折に読んでいただきたいと思います。

そうですね、一巻ですから「赤い」の項を読んでみましょうか。

普通の赤色以外に、髪の毛や畳や靴などでは赤茶類のものを「赤い」といい、また、近世には「美しい」の意味で使われていたことがわかりますよ。「青」と比べてもいいですね。「青みを帯びる」という意味の動詞には「青ずむ」「青ばむ」「青みがかる」「青みざす」「青みだつ」「青みばしる」「青む」など微妙な違いの類語が多くあり、「赤みを帯びる」という意味の動詞にも、同様に「赤ばむ」「赤みがかる」「赤みだつ」「赤みばしる」「赤む」「赤らむ」「赤る」など何種類もあることがわかります。

「い」を読んでも大変面白い。「行く」の項がございますからね。「行く」（いく）は後世に新しくできた俗語的な言い方で、「行く」（ゆく）のほうが古くて由緒正しい言い方だというように感じている人が多いと思います。しかし、「いく」も案外古く、万葉集に既に使われていたことが『日国』を読むとわかるのです。そして、補注には「〝いく〟のほうが新しい俗語的な形だ」とする説と、逆に「〝いく〟のほうが古い形だ」とする説があって、使われていた時代がまだ明らかになっていないということまで書かれているじゃありませんか。

もちろん、「赤い」や「行く」といった基本語だけが読み物として面白いというわけではありません。気の向くままにあちこち拾い読みするのも楽しいものです。

明治時代には高利貸しのことを「氷菓子」と同音であることからしゃれて「アイス」と言っていたことは、『金色夜叉』などに例がありまして、比較的知っている方もいらっしゃると思いますが、「アイスクリーム」の項を見ると、同じように「高利貸し」の意味があって明治の用例があり、「アイス」と同様に使われていたことがわかったりもします。日本語ブーム、クイズブームの昨今、このような読み方に惹かれる方はきっと増えてきているでしょう。

『日国』に限らず、小型辞典、中型辞典でも面白く読めます。私が今持っている小型辞書を任意に開いてみたら、「足」の項の出ているページでした。何となしに、「足」が上に付いている言葉を拾って読んでみることにしましょう。

「足跡／足あぶり／足裏／足音／足がかり／足掛け／足かせ／足型／足固め／足がらみ／足軽／足癖／足音／足蹴／足芸／足腰／足ずり／足駄／足代／足だまり／足ついで／足付き／足継ぎ／足止め／足取り／足どり／足なえ／足並み／足慣らし／足場／足早／足払い／足拍子／足踏み／足偏／

足任せ／足まめ／足もと／足休め／足弱／足技…」

これは、小型辞書の「足」が上に付く語を拾い上げてみたものです。これらに目を通していくだけでもいろいろ思いを馳せられることがありませんか。

「足あぶり」は、火を淹れたりして足をあたためる器具と説明があるが、どんなものを言うのだろう。相撲の「足癖」は知っていたが、歩き方、はき方、足づかいなどの癖という意味があるとは知らなかった。「足ずり」「足だまり」「足ついで」「足まめ」「足休め」……自分ではなかなか使わない言葉だな。おっ、「足ついで」の項に、「――に立ち寄る」などという例がある。こういう言い方があるのならばいつか使ってみるか、などと思う。しかし、ずいぶんと足に関する言葉が多いものだ。やはり自動車が発達する前は移動手段と言えば足、なのかな。しかし、足代とか顎足枕とか、いまだに残っている言葉も多いよなぁ…。

などなど。「足」という言葉が生き生きと見えてきたり、辞書から鮮やかに立ち上がってきたりするかのような錯覚を覚えます。足から乗り物へ、時代が移り変わってきたことが、こういう言葉を拾って読んでいると、いっそうダイナミックに感じられる。言葉の歴史が詰まった辞書は、言葉のタイムマシンなのです。

このように辞書をあちこち拾い読みしていると、今はまったく使わなくなった語で、何かの機会に使ってみたいと思うものがあったり、こんな意味もあったのかと感心していたりするうちに、一時間や二時間はすぐに経ってしまいます――おっと、足を足がかりに思考を巡らせていたら、思わぬ足踏みになってしまったようですね。足早に論を進めてまいりましょう。

芥川龍之介の辞書考

初版、第二版を刊行してから届く手紙には様々なご注文、ご指摘がありました。もちろん先のような「刊行時期についてのご要望」や内容への厳しい指摘ばかりではなく、お褒めの言葉もたくさんいただきました。中でも非常に印象に残るのは、「読むのを楽しみにしている」「これで老後の楽しみが一つ増えた」と書かれているお便りが少なからずあったことです。編集の一端を預かっている者としては何とも言えない大きな喜びでした。今さら私がくどくど言うまでもなく、既にこの辞書を読んで楽しんでいる方が非常に多いということを知ったのです。

そこで、芥川龍之介が書いた「辞書を読む」という一文を引いてみましょう。

芥川龍之介は
辞書を
「読んだ」

■辞書を読む事の好きな人は存外沢山ゐる。自分の知つてゐる人の中でも、大抵な小説より字引きを読む方が面白いと云ふ人が、少なくとも五六人はある。

断つて置くが、これは勿論実際上の目的ばかりで読むのではない。（中略）

ほんたうに字引きを読む人は、語そのものが面白くて、読むのである。云はば植物学者が温室へはひつたやうな心もちで、字引きの中を散歩すると思へば間違ひない。かう云ふ人は、あをざけ―あをだま―あをぢ―あをぢく―あをと―あをとかげ　と云ふやうな語の序列を感心したり、微笑したりしながら、眺めて行く。読んで行くと云ひたいが、どうも眺めて行くと云ふ方が適切なのだから、仕方がない。さうして珍しい語に逢着すると、子供が見たことのない花を見つけでもしたやうに嬉しがる（以下略）（『芥川龍之介未定稿集』より）

この文章は、辞書を作っている人間にとっては非常にありがたい意見だと私は思い、ずっと心に留めてきました。「辞書を読む」ということを昔からやっている人がいたのか、と感慨を新たにすると共に、よくぞここまではっきり言ってくれた！　と芥川に感謝してしまったほどです。文中では知人にこんな人がいる、と書いていますが、私が読み取る限り、これは明らかに彼自身のことでしょう。

というのも、「あをぢく」「あをと」「あをとかげ」というのは『言海』の見出しの順そのままなのです。芥川龍之介が『言海』を非常に楽しみにしながら、引いたというよりは読んでいたのではないかと推察されるゆえんです。頭から『言海』を読んだ人じゃないと見つけられないような細部をさりげなく書いているあたり、これは同じ辞書読みへの隠れたサインだったのかもしれません。

辞書を読む――これは、最も手っ取り早い辞書への親しみ方なのです。こういう心境にはそう簡単にはなれないかもしれない。しかし、辞書はある語を引くためだけのものではなく、読むものでもあり、ときには小説などよりもはるかに興味深い面があるということも確かです。
辞書は必要があって引くのであって、必要がなければ見ないものだと思っている人が多すぎるのではないか、と言及しました。辞書というのは必要がなくてもときどき読み物として読むことがあります。そして、それに耐えられる辞書こそ本当にいい辞書なのではないか、と思うのです。みなさんにも、ぜひ時々は辞書を読んでいただきたいと思っています。

小型辞典に編集者の本音が

辞書を読むことの面白さについて書いてきました。これはもちろん『日国』ばかりを対象にしているわけではありません。もちろん、大辞典のほうが見出し語の数が多く、語の使用例も多く添えてあり、古語も多く載っています。読んだときに得られる知識は格段に増えることでしょう。

ただ、近頃では小さい辞書でも大きな辞書に載っていない新語が多く入っていたり、言葉の現代的な使用例が多く示してあったりします。決して大きい辞書に劣るものではありません。

そう、実は小型辞書にこそ面白い記述が隠れているものです。小型辞書に載っている用例の多くは、『日国』のように古典から引いてくるわけではありません。その多くは、原稿を書いた人や編者が作った、いわゆる作例ですから、書いた人のその時々の思いがうかがわれたり、時代的な特徴が現れていたりすることがあるんです。たとえば、ある辞書の「慨嘆」の項には、

「戦後の女性の言葉つきはまことに――に堪えない」

とありました。辞書編集者は戦前派でしょうか。嘆きの声がまさに聞こえてくるようです。また、「かくて」の項の例は、

「戦争犯罪人として投獄され、――十年の歳月を獄窓に送った」

となっており、時代の空気が反映されています。そして、最終項目を見ると、それは「んん」という感動詞。

「んん、やっと終わったんだよな」

という感慨を託した例が示されており、私も思わず笑ってしまったものです。

このように、辞書を読むことに興味を持つようになれば、億劫ではなくて自然に辞書を引くようにもなるでしょう。また、自分に適した良い辞書とはどんなものかが、だんだんわかってくるはずです。

こうなると、辞書を新たに求めるときも、ただ単に見出し語の数や、外見のスマートさにとらわれず、内容の充実度で選ぶことができるようになっているはずです。

完璧な辞書はあるか？

読める国語辞典が素晴らしいものだと強調してきました。ここまで力説すると、辞書の権威を強調しているように思われる方もいらっしゃるでしょう。これは特にメディアの方に多い考えでして、「これこれの辞書によると、定義はこうなっている」というように、辞書が言葉の意味を司る存在として引き合いにだされることもしばしばあります。

しかし、どんな辞書であっても人間が作ったものですから、不十分な点がまったくないとは考えられません。私が言うのも何ですが、辞書の中に使われている文字数は小型のものでも四〇〇万字ぐらいはありますし、『日国』のような大型辞典では七〇〇〇万字にものぼります。これで誤植が一つもないというなら神業でしょう。単純な文字の誤植もなかなか避けられないぐらいですから、説明上の不備ともなればなおさらです。

こういうと、「辞書に間違いがあるとは思ってもいなかった」と非常にがっかりしたり、怒りを覚えたりする読者もおられるでしょう。しかし、これが辞書作りの現実なのです。だからこそ私たちは何度も出典を検討し、校正刷を何度も出してもらい、さらにいったん辞書が出てからも改訂、増補を常に考えていくのです。それは、完全ということがありえないとわかっているからです。よく、辞書は、最初の版を買わないほうがいいと言われたりするのは、こういう事情からです。それこそ大きな声では言えませんが、後の版になれば気づいた誤りが少しずつでも直され、良くなっていくということなのですから。

だから、辞書を引いたり、読んだりする場合には、その記述をまるごと鵜呑みにするのではなく、時々立ち止まって考えることが大切です。手元に置いて何度も引き、何度も読む。その繰り返しによって、辞書に親しむ。その積み重ねが辞書を批判的に見る目を養い、皆さんが辞書の不十分な点を指摘できるほど、成長していける、ということでもあります。

もちろん、それは私たち辞書編集者にとっても大歓迎です。利用者の目が高くなっていけば、現状の辞書では満足しない人が増えてきます。そうなれば、辞書を作る側もそれに応える品質の辞典を作らなければ売れない。さらに辞書の内容が充実していく。そんな素晴らしい循環が生まれるでしょう。このような好循環が訪れる未来をもたらすためにも、一人でも多くの方に辞書を通して考えていただき、辞書に親しんでほしい。私はそのように思っています。

あえて思う、理想の国語辞典

さて、完璧な辞書の後は「理想的な国語辞典」について考えてみたいと思います。私は、『日国』

初版、二版を通して、「追求しきれなかった箇所が多々残る」「その後、新たに加えたい意味、用例が次々に見つかる」と述べました。多くの辞書編集者も同じ思いを持つと思います。理想を言うなら、いつまでも延々と手を加え続けていきたい。それが本音です。辞書作りがそのような形であるなら、理想の国語辞典などは存在し得るのでしょうか。あるとしたら、それは一体どのようなものでしょうか。

第一に、ある言葉を引いたとき、それが必ず載っているということです。知りたいと思う言葉がそもそも載っていないのであれば、その辞書はまったくそのときの役に立たない、ということになるからです。しかし、これは口で言うのは簡単ですが、実に大変なことでもあります。その人その人が、その時々で知りたいと思う言葉は何か——それはまったく予想がつきません。よって、日本の古代から現代に至るまで使われた無数の言葉をすべて収めた辞書でなければ、この第一条件を満足させることはできないのです。

第二の条件は、ただ言葉が載せられているだけではなく、その言葉について知りたいと思う情報が的確に示されているということです。

「おびやかす」にはどういう漢字をあてるか。また、どこから仮名を送ればよいのか。「やかす」と送るか、「かす」と送るか、または「す」だけで良いのか。

「どじょう」を食べさせる店で、看板に「どぜう」と書いてあったりするが、これは歴史的仮名遣いなのか。

「熊（くま）」の共通語の標準的なアクセントでは「ク」が高いのか「マ」が高いのか。

夏目漱石の小説に「きぶっせい」という言葉があるが、これはどういう意味なのか。

近頃、「アイデンティティ」という外来語を時々聞くが、これはどんな意味か。

「おてんば」はオランダ語から来たと言われるが本当か。

「かのじょ」という言葉はいつごろから使われるようになったのか。

「避ける」と「よける」は似ている点があるけど、どう違うのか。


——これらの疑問は、いずれも『日国』を引けば答えがあります。しかし、言葉について人々が思う疑問はこれにとどまらないでしょう。

そのような場合を想定し、漢字表記、送り仮名、仮名遣い、アクセント、意味、語源、語の発生時期、類語間の異同、語の使い方などなどにわたる疑問を、すべての言葉について明確に示すのは至難の業なのです。一語一語について細密に、深く研究を進めなければ、そんなことは到底できません。ここまで考えると、理想的な国語辞典を作るということはまず不可能な気がしてきます。現実に、今まで挙げてきた条件をすべて満たす辞書はできていない。それが何よりの証拠でしょう。

ことば典（国語辞典）とこと典（百科事典）の使い分け

そこで、普通の国語辞典だけに頼らず、何らかの特徴を持った特殊な辞書を併用することを考えなければなりません。特殊な辞書というのは、表記辞典やアクセント辞典、類語辞典、外来語辞典、新語・流行語辞典、人名・地名辞典、さらに百科事典です。これらには、普通の国語辞典には出ていない言葉が収められていたり、出ていても国語辞典には書かれていない情報があったりして、知りたい欲求を満たしてくれることがあります。

しかし、国語辞典が百科事典的な要素を持つことには賛否両論があります。

「百科事典的な要素を盛り込むというのは時代の要請である。固有名詞も日本語であることに変わりはない。それに、普通名詞の中には発明品や産物名など人名、地名に関わりの深い語も多くあり、それを一つ一つの項で説明するのはわずらわしく、固有名詞を立てた方が便利である。項目の取捨選択には困難を伴うが、入れることを前提にして工夫すべきだろう」

こちらが賛成論です。一方、

「固有名詞はどういうものを採り入れるか判断に迷うことが多く、項目の選択にしても説明にしても中途半端になりやすい。だから、人名・地名の辞書や百科事典に任せるべき。それに費やす精力

芥川龍之介は
辞書を
「読んだ」

やスペースを普通語に振り向けて充実させることこそが国語辞典の使命ではないか」

これが反対論です。

ともに一理あって、一方に軍配を上げることは難しいと思います。ちなみに、辞書編集者は「辞典＝ことば典」「事典＝こと典」と呼んで区別しています。

このように賛否両論のその問題を考えるうえで、ここでちょっと「万年筆」という語を国語辞典で引いてみましょう。

■中空のペン軸にインクを入れ、その先に金または合金のペン先を取り付け、使用するにしたがって、インクがペン先に伝わり出るように装置したペン

この説明は、数ある国語辞典の中でも比較的詳しいほうだと思いますが、どちらかというと形態や動きを主にした書き方ですね。大体誰にでもわかっている「万年筆」のような言葉を辞書で引くような人には、この記述はおそらくあまり満足はいかないでしょう。

いつごろどの国で発明され、日本にはいつごろ入ってきたのかということを知りたいと思うのではないでしょうか。だけど、そういう情報を得たい場合は、国語辞典ではなく百科事典を引かなければなりません。国語辞典はことばを説明し、百科事典は事柄を説明するというのが大筋の役割分担だからです。

しかし、最近の中型以上の国語辞典では、人名・地名など固有名詞もある程度収録して百科事典

の役割も兼ね備えているものも多く見られます。

特に、「日本にいつごろ入ってきた」かということは、「万年筆」という言葉がいつ頃から使われ始めたかということと深い関係があるわけなので、言葉の辞書にとっても大事な情報になるのです。

同じ辞書で「鉛筆」を引いてみると、

■（明治期pencilの訳語に当てた）筆記具の一。黒鉛と粘土との粉末の混合物を高熱で焼いて芯を造り、木の軸にはめて造る。一五六五年、イギリスで考案。江戸初期にオランダ人から輸入。

とありました。

「万年筆」と違って、どの国で発明され、いつごろ日本に入ってきたかが示されています。なぜ「万年筆」のほうには書かれていない情報が「鉛筆」のほうには書かれているのかはよくわかりません。鉛筆は意外に古い時代に発明され、日本にも案外古くから入ってきていたことを知らせたかったのでしょうか。

しかし、江戸初期に輸入され、明治期に訳語として「鉛筆」と言われたという記述で当然疑問になるのは、「明治以前は何と呼ばれていたのか」ということです。百科事典によればオランダ人が徳川家康に献上したのが日本へ渡来した最初ですが、そのときの献上物は現在も久能山の東照宮に宝物として保存されているそうです。となると、一般の大衆にはほとんど知られていなかったわけで、当然それを指す言葉もなかったのでしょう。

ちなみに、本格的に輸入されるようになったのは明治一三年、日本で製造されるようになったのは明治一九年のことだといいます。二葉亭四迷の『浮雲』（明治二〇年）に、

■頓て差俯向いた儘で鉛筆を玩弄にしながら

とあるから、「鉛筆」という言葉は、明治二〇年ごろには普通に使われるようになっていたと思われます。

このように見てくると、先の辞書の説明では、「オランダ人から輸入」という箇所が気になりますね。「輸入」というと、商人が大量に買い入れたように受け取れるからです。ここまで細かいことを述べてきましたが、このような問題が潜むからこそ、国語辞典が百科事典の領域に踏み込むときは、常にその言葉との関係に留意することが大事なのです。

『日国』はある程度百科事典的な要素の採録に踏み切り、約三万四五〇〇項の固有名詞を収めました。項目の選択、説明の内容や分量など、改善すべき点はまだ多く残されていると思います。

国語辞書は成長していく

新語・流行語大賞が年末の風物詩的なイベントになったことからもわかるように、毎年毎年新た

な言葉が生まれ、世間の注目を集めていきます。その中には、フットワークの軽い小型辞典に載る言葉も出てくるでしょう。しかし、改訂・増補が何十年単位にわたる中型辞典、さらに大型辞典ともなれば、新語や外来語はそうそう載るものではありません。辞書は限られたスペースに何万語もの言葉を収めるので、一語にそう多くのスペースを割けないという事情も確かにありますが、何よりも、採り入れるからには広く調査して裏づけを十分にしておきたいと思うからです。

もちろん、明治〜昭和初期にはなかった「人工衛星」「過疎」など、私たちの暮らし、文化に関わる新しいものや事柄が生じればそれを表す言葉が生まれ、定着するとともに見出しに採用されることになっていきます。

一方、辞書に掲載している言葉の意味を増やしたり、補ったりする「増補」について、新語や外来語以外でもおこなわれることがあります。

それは、以前から使われていた言葉が新しい意味で使われるようになった場合です。

身近な「ころがる」という言葉を調べてみましょう。古い辞典には、「ボールがころがる」といった場合の「回って進む」という意味が示されているだけのものが多かったんです。しかし、これに「花瓶が転がる」などの場合の、「立っているものが倒れる」という意味を挙げている辞書はそれほど多くありませんでした。ところが、実際はこの他にも「芝生にころがって休む」「河原に石がころがっている」「どこにでもころがっている話」などのような例もあります。これらは最近になって生じた使い方ではなく、既に明治時代には見られているものです。辞書を作る者が長い間気づかずにいて、採り入れることを怠っていた用法です。新語、外来語、古語だけではなく、日常使われる基本語についても、怠りなく目を光らせていなければいけない。それを表すには、この「ころがる」の軽視が最も顕著な例になるでしょう。

私が研究してきたところによると、昭和三〇年前後から「ごろんと横になる」という意味を加える辞書が目立って増えてきます。さらに、昭和五〇年に近くなってようやく、「むぞうさに置いてある」「ありふれたものとしてある」といった意味を添えられるものも現れてきます。

そう、日常で普通に使われている言葉一つにも、増補ということはおこなわれることがあるのです。「ころがる」については、『日国』初版で意味を六つに分け、それぞれ用例を添えていますが、第二版ではさらに意味を二つ増やし、より詳しく、より深く解説しています。

このように、辞書が新しい項目を見出しに追加したり、新しい意味を付け加えたり、説明を詳しく書き変えたりすることは、成長していく辞書の証明でもあります。

ただ、成長するためには、ある程度版を重ねることで、内容に手を加えるチャンスを作らなければなりません。つまり成長する辞書こそ世間に広く認められた良い辞書である、ということです。

自分が使っている辞書がどう成長するかを見守っていくのも楽しみの一つですが、実は利用者が積極的に関わり、辞書の成長を助けることもできます。もし、自分が利用している辞書に不満足な点を見つけたら、それを遠慮なく編集部に手紙やメールを書いてみましょう。その指摘が受け入れられたら、次に版を改める時にはきっと直されていることでしょう。

最近は、『大辞泉』が「あなたの新語を辞書に載せよう。」キャンペーンをおこなったり、小学館のサイト「日国NET」内の「日国友の会」コーナーが語釈や用例を広く一般から募集したり。そんな試みも始まりました。

辞書の成長に参加できるのは、辞書編集者だけのものにしてはもったいないと思います。皆さんにも、ぜひ味わっていただきたいですね。

真似されたい国語辞典

昨今、インターネットの普及に伴いさまざまな情報を手軽に検索・引用できるようになりました。しかし、大学のレポートなどでは、ウィキペディアやネットに公開された論文をコピー&ペーストし、あたかも自分の文章であるかのように使う剽窃行為が横行しているとも聞きます。「パクり」「トレース」など、そのような悪意を持った複製を指す言葉も増えてきていますね。しかし、こと辞典編集の世界では、「剽窃」「真似」が横行してきたといういきさつがあります。

私は、大槻文彦の『大言海』と『日国』は最も真似をされた辞書だと考えています。もちろん、そのような真似はいかん、という議論も『大言海』の当時からありました。

ところが、三省堂の辞書の序文で「今後の国語辞書はすべて、本書の創めた形式・体裁と思索の結果を盲目的に踏襲することを、断じて拒否する。辞書発達のためにあらゆる模倣をお断りする」とあるのを見てはっとさせられました。確かに戦後の辞書の歴史はある意味では模倣の歴史であったことを考えると、その言われていることは誠にごもっともであり、国語辞書の正しい発達を願う編者の切なる気持ちと、模倣辞書に対する大きな怒りとがひしひしと伝わってきます。と同時に、自分の手がけた辞書に対する堂々とした自信が感じられてうらやましくも思いました。

では、『日国』はどうか。私の場合、不思議と真似されても怒りという感情が湧いてくることはありません。真似されるということは信用を置かれているということ。優れた点が多いということでしょう。

いくら真似してほしいといってもよい点がなければ真似する者は出てきません。また、いくら真似をするなといっても優れた辞書は何らかの形で模倣されるものです。その辞書以上の語釈が書けない。用例が見つけられない。だから真似するのですから。真似されたら喜ぶべきだ、とすら私は考えています。

馬鹿正直だと思われるでしょうか。「これ以上適切な説明はない。これ以上適切な用例は見つからない、どうしてもあの辞書の説明や用例を真似せざるを得ない」と言われるような項目を多く持った辞書を作りたいと思うだけです。しかし、思うことは簡単ですが、実際のそのような項目を立てていくのは大変なことです。決して、一朝一夕にできることではありません。

たとえば、『日国』第二版のある例を引いてみましょう。

子どもが母親、父親を呼ぶ場合、最も広く使われているのが「おかあさん」「おとうさん」でしょう。この呼び方は明治三六年の国定教科書に取り入れられて広まったものだというのが定説でした。ところが、最近ではさらに進んで、明治後期の新造語だという記述まで現れ始めています。

そこで、第二版で集めた用例を調べると、最も古い「おかあさん」の用例は『誹風柳樽』の四十七編（文化六年刊）にありました。何と、江戸時代に既に見られているのです。つまり、「おかあさん」は明治期の新造語などではなく、近世末に上方で使われていたものが東京にも入ってきて国定教科書によって広まったのだ、と推察できます。

これは国語学としては大きな発見です。今後、多くの辞書で真似されてしかるべき、と言いたいところですが……「おとうさん」のほうは存在感の違いからか、どうもはっきりしません。今回は、新たな発見、真似される域にまで至りませんでした。そう、ごく当たり前の言葉一つの用例、語釈をとっても、真似されるのは容易なことではないのです。

辞書は、そして日本語はどこへ行く

外国人留学生との、言葉の交流

『日国』初版の編集を終えた私に、山梨大学の教育学部から「外国からの留学生が増えたので、日本語を教える教員として来てくれないか」という話が舞い込みました。

外国人に日本語を教えるという経験は今までまったくなかった上、第二版を目指しておこなっている用例採集の時間が十分取れなくなるのでは？　という逡巡もありました。

しかし、留学生を相手にすることは、日本語を見直す良い機会になるはず。それに、四年半も勤めれば定年になるという年齢です。辞書に凝り固まった脳にはいい刺激になるだろうと思い、まったく違う世界に飛び込みました。

大学での四年半の生活は、講義の準備、卒論の指導、教授会など慣れないことに追われ、あっという間に過ぎていきました。辞書作りの準備に割ける時間は大幅に削られることとなりましたが、予想以上に辞書作りにプラスになることも多かったのです。

第一は、現代日本語を考えさせられる機会を得たことです。留学生を相手にしているのは、国語を考えるうえで実に面白い。こちらの思いもよらない、こんな質問が飛び出してくるのですから……。

『四歳になる娘』といったとき、その娘は何歳ですか」

というのはその一つ。もちろん四歳だよ。そう答えると、留学生に「四歳になった娘」とはなぜ言わないのか？　と問われて答えに窮しました。留学生は、四歳に〝なる〟というのはこれから四歳になるということだから、今は三歳と何か月だと受け取ってはいけないのかと言うのです。

う〜む。理屈の上では確かにそうです。だから、四歳だと説明するのはなかなか難しいことでした。国語辞典を引いて解決するという問題でもありません。四苦八苦して、日本で満年齢というのは戦後の新しい考え方で、それまでは数え年だったから、その年の正月になれば満三歳一か月でも四歳と言ったこと。

「四歳になる娘」という言い方の類例として、「二メートルに及ぶ（達する）積雪」を挙げて、「及んだ（達した）」と言わずとも、その数量になっていることが表せるなど、文法、理屈ではなく文化的背景や類似の実例を持ち出して、詳しく説明する必要がありました。

外国人にも引ける辞書とは

日本語を長年使い慣れてきた日本人には無意識に使い分けられるような言葉のニュアンスが、外国人にはわからないことも多いものでした。そのため、留学生たちは、その場で使うと違和感がある日本語を何の気なしに使ってしまうこともありました。

たとえば、自分の息子について

「いろいろと愛息がお世話になりまして……」

と書くのは、日本人なら当然おかしいと思うでしょう。しかし、国語辞典で「愛息」を引くと、

■親がかわいがっている息子

とあったりします。親である自分がかわいがっている息子であれば、「愛息」といってもよいではないか。留学生がこう考えるのも無理はありません。最近の辞書で、「他人の息子について言う」という補足説明をつけたものが増えているのは、このような点を考慮したものに他なりません。また、友達と話していて

「今冬（こんとう）は寒いね」「ああ、疲労した」「あの音は雷鳴じゃないか」

などと言うのは不自然です。しかし、辞書で「今冬」を引くと「今年の冬」とあり、「疲労」を引

くと「つかれること」とあり、「雷鳴」を引くと「雷の音」とあるだけです。これでは先のような表現が不自然だということはわかりません。

これらは話し言葉では使わないのが普通であり、使うとすればよっぽどあらたまった場合か、やや冗談半分に言う場合かのどちらかでしょう。したがって、これを防ぐためには、「今冬」「疲労」「雷鳴」などは意味を記すだけではなく、主として書き言葉に使われるということが示される必要があるでしょう。

また、「だれ」と言う言葉を辞書で引くと、

■はっきりとは知らない人、または名を知らない人を指したり問うたりするのに使う語

などと書いてあります。ところが、この説明では、かかってきた電話の相手が、

「もしもし松井さんですか」と言ったのに対し、それを受けて、

「はい、失礼ですがだれでしょうか」と「だれ」を使うのは不適当です。

しかし、これは辞書の記述ではわからないことです。そういう時は丁寧な「どなた」を使うということが分かるような記述が求められます。また、「はなはだしい」について、辞書では、

■普通の程度をはるかに超えているさまをあらわす

というような説明のものが多く見られます。

「あの兄弟は性格の違いがはなはだしい」

「あの兄弟の性格ははなはだしく違う」

のような、良い悪いの評価が入らない「性格の差」の場合は先の説明でも良いようですが、

「はなはだしく美しい人だ」

「彼の成績の良さははなはだしい」

となったら、ちょっと不自然じゃないでしょうか。そう、「はなはだしい」はマイナス評価の状態に多く使われることがわかってきます。つまり、美しいや良いなどといったプラス評価の状態には使いにくいものなのです。

以上の例からもわかるように、これからは意味の説明だけではなく、書き言葉か話し言葉か、丁寧であるかないか、プラス評価に使うかマイナス評価に使うか等々、使う場面がある程度分かるような配慮が大切になるでしょう。もとより、類語との意味の違いなどを添えることも考えなければいけません。そう、日本語を学ぶ外国人が増えて、国語辞典は日本人だけのものではなくなってきている、というのもあるでしょう。日本語学習者にも役立つという視点が辞書には求められます。

これらの例のように、留学生と学びの場を共有することで、まったく何の気なしに使ってきた日本語に新たな角度から光を当ててもらいました。日本語を教えていながら、逆に留学生に日本語を教わることが多かったと感じています。

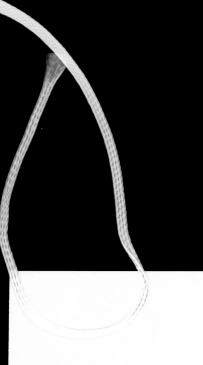

「魚が水泳する」と言えるのか

言葉を考える上で、外部の視点が刺激になるという例をもう一つ上げましょう。長い間アメリカに滞在し、ハーバード大学で日本語を教えていた板坂元氏が、ある雑誌に次のようなことを書かれていました。

たとえば水泳という語がある。現在、この語はスウィミングという訳語が与えられているが、日本人は「魚が水泳している」とか「船が難破して水泳した」とは普通言わないとすれば、水泳という語の用法も親切に教えてやる必要がある。

私がこの指摘を目にしたのは一九六〇年代のことですが、その頃出ていた主な国語辞書の「水泳」の項目を一通り当たってみると、その半数近くはただ「水泳ぎ」と言い換えてあるだけでした。説明が少しついている残りの半数を見ても、

「水面や水中をおよぐこと」

とある程度です。日本人だけを相手にするなら、この程度の説明でもおそらく間違えることはないでしょう。しかし、留学生の視点を借りるなら、「魚が水泳する」と言ってもかまわないことになります。

その後、現在の辞書の多くは、板坂氏の指摘を踏まえ、「人が」とか「スポーツや楽しみとして」

とかいう説明を添えることで、「魚が水泳する」とは言えないことを示すようになりました。

日本語を学ぶ外国人が大幅に増えて、国際的な言葉になりつつある現在、国語の辞書は外国人にも誤解されないような書き方が要求されるし、日本人もそういう目で自国語の辞書を読み直してみる必要を、ますます強く感じています。

この経験を踏まえ、日本語を学ぶ外国人に役立つようにと、配慮を加えた新しい辞典の第一歩として、私は『日本語新辞典』を二〇〇五年に刊行しています。

新語、外来語への関心

山梨大学の教授を務めた四年半の間、私が折を見て調べていたテーマが、もう一つありました。それが明治期~戦前の新語辞典の比較です。山梨大学から東京成徳大学に移った後、新語辞典と明治以来の言葉の変遷を大学の紀要にまとめました。それは『日国』第二版にも生かすことができています。

私が戦前の新語、流行語に注目したのは、「国語辞典で、新語や流行語の取捨はどのようにするのですか」と、たびたび聞かれることがあったからです。

辞書編集者としては「毎年登場する多くの言葉のうち、今後も長い間にわたって使われると推測されるものを選んで、取り入れています」といった答えが模範解答になるでしょう。しかし、何十万項も収める規模の大きな辞書では、どんな言葉も載っているのが理想です。

そこで私は「可能な限り採り入れることにしています」と答えていました。たとえ、数年で消えてしまう流行語だったとしても、何十年か後に、その語が使われている読み物を目にした人が、「さて、これは一体どういう意味なのか」と知りたいと思った時、役立つようにしておきたいからです。

たとえば、私は昨今の新語、流行語では「「ゆるキャラ」という言葉に興味津々です。実際にゆるキャラと称されているキャラクターを見てみますが、よくわからないんですね。あれ、なんでゆるいんですかね。どこに〝ゆる〟があるのでしょうかね。テレビなどで見かけると、見出しに立てるとしたら、どう説明しようか……など、思わず考え込んでしまう私がおります。

外来語大爆発時代を考える

さて、大きな辞書の問題点は、短い間でたびたび改訂するのが困難なことにあります。現在のように物事の変化が激しく次々と新しい事象が生じると、新語の発生もてきめんに増えていきます。新聞、テレビなどの浸透に加え、最近ではインターネット、ＳＮＳなどであっという間に流行語が広がり、そして消えていきます。その消長は以前と比べ物にならないほど甚だしい。

その点、あまり小回りのきかない大辞典はそれに追いついていくことが難しいという事情があります。

新しい語の増え方を知る一つの手がかりとして、私は国語辞典の見出しに、どれだけ外来語が含まれているか、その移り変わりを調べてみました。

辞書の中で、比較的外来語が多いと予想される区間はどこだと思いますか？　一般には「は」〜「はいん」の区間が多いと考えられます。そこで、いくつかの辞書の「は」〜「はいん」までの項目を取り上げ、見出しの総数に対する外来語の割合を調べてみました。十一の辞典について調べましたが、ここでは具体的な結果は割愛します。

明治〜大正期の国語辞典は、古い語に重点があり、現代語は積極的に採り入れようとしないきらいがあったからその当時の実情を反映しているとは言いにくいでしょうが、『言海』（一八九一年＝〇・六パーセント）成立後、五十年近くかかって外来語が一割を少し越える程度になりましたが（『言苑』一九三八年＝一一パーセント）、その後、さらに五〇年余りの間に四割に近づいていることがわかります（『三省堂国語辞典第四版』一九九二年＝三六パーセント）。

このような時代において、新語、流行語はどのように取り入れ、収録を考えていくべきなのか。私は、そのヒントを戦前に見出し、大学での講義の傍ら、新語、流行語の比較研究を続けていました。私が資料として集めたのは、戦前の流行語、新語辞典の類です。

明治になって西欧文化がどっと入ってきて学問のあらゆる分野で新しい言葉が作られました。このため、明治時代には外国語との対訳専門用語辞典が多く刊行されました。これらは、ちょっと専門的な新語辞典ですね。しかし、それらは一般の人には縁遠すぎ、多くの人の口にのぼる新語を集めた辞書が現れるのは大正初期を待たねばなりません。しかし、ここからが新語辞典の爛熟期です。昭和一〇年ぐらいまで、わずか二〇年余りの間に、実に一〇〇点を越える新語辞典が世に出ていたのですから、驚かされるではないですか。

戦前の新語、探訪

新語辞典盛況の大きな要因は、何といっても外来語の急増でしょう。このことは、その見出し項目の半数以上を外来語が占めている新語辞典が全体の八割を超えていた。そんな事実からも明らかです。これは、ＩＴ系、ビジネス用語などで外来語が大量に登場し、浸透していく現在とさして変わらないような気もしています。つまり、この時代の新語の浸透、消長を見ていくということは、現在と比較し、言葉の盛衰を眺められる、ということでもあります。

そもそも、この類の辞書は、短期間にあまりに多くの点数が乱造的に出版されたこと、大半が小型版で安易に作られているような印象を与えたことなどから、注目を集めることはあまりありませんでした。しかし、仔細に見ていくとなかなか面白いのも事実です。普通の国語辞典には見られないくだけた書き方のものも多く、語によっては使い方の用例が添えられており、言葉の雰囲気をよく伝えてくれるものもあります。ここでは、そういった言葉をいくつか拾い出し、紹介してみましょう。

ページまるごとキッス

松竹の元会長で、映画プロデューサーとして知られた城戸四郎氏によると、「脚線美」という語は城戸氏の造語で、昭和三年に松竹で、「脚線美女優」を募集したのが始まりとか。また、「ミーちゃんハーちゃん」、これは俗にいう「ミーハー」の語源でもありますが、これも城戸氏が初めて使ったと言います。今なおしっかり残っている言葉ですから、コピーライター的なセンスに優れた人だったのでしょうね。

ちなみに、いち早く「脚線美」を項目に取り入れたのは、講談社刊の雑誌『現代』昭和六年新年号の付録『現代新語辞典』でした。この辞典は雑誌の付録とはいえ、なかなか充実していて当時の風俗を知る手がかりとして貴重です。たとえば、キスなどは「キッス」という形で出ています。さっそく引用してみましょう。

■キスとも云ふ。訳語は接吻だ。万延元年に日本から第一回の海外使節が派遣された。その連中が、米国に於て一番憤慨にたへなかったのは「男と女が嘗め合ふことを礼儀」としてゐることだ。そんな汚いことをするから彼等は夷禽狄獣に近いのだと、新見豊前守などが力を入れて怒ったと云ふ。以下さらに続き、ほぼ一ページ分が割かれています。これを読むと、モボ・モガが隆盛を極め、エログロナンセンスという風潮もあった当時でも、キスに対する昔の日本人の反応がうかがわれて興味深いですね。普通の国語辞典ではまったく考えられない書き方として、非常に興味深いものだと思います。

この『現代新語辞典』には、今はすっかり使われなくなった昭和初期の流行語「イット」という言葉も載っています。「イット」とは、アメリカの作家エリナ・グリーン原作を、女優クララ・ボウが主演した映画「イット」によって昭和初期に流行した言葉で、本来の「それ」という意味ではなく、「性的魅力があること」「セックスアピール」を意味します。

この「イット」ですが、中学生の私が使っていた『辞苑』など中小辞典の見出しにも採られているぐらいですから、相当広まっていたと思われます。かつて、ＩＴ革命を「イット革命」と読んで失笑された宰相もいましたが、彼も戦前生まれ。もしかしたら、この「イット」が念頭にあったのかもしれません。

では、一世を風靡した「イット」ですが、今の辞典ではどうなっているでしょうか。小型辞典では『明解国語辞典』が長く載せ続けていましたが、『新明解国語辞典』になってからは姿を消しています。この言葉が出てくる小説などを読み、その意味を知りたいと思った人は、現在出ている小型辞典を引いても知ることはできません。しかし、中型辞典の『大辞泉』などにはいまだに載っています。

ギャグ、ギャル今・昔

現在、ギャグマンガや「一発ギャグ」「ギャグを連発する」のように、エンターテインメント用語で、「ギャグ」という言葉もすっかり浸透しています。戦後に言われたものかと思われがちですが、実は既に昭和五年の『モダン辞典』に載っています。

■本来の意味は「猿ぐつわ」だが、喜劇俳優等が、セリフにない言葉を勝手に客を笑はすために入れる事を云ふ。これを案出する人を「ギャッグマン」と云ふ。

「ギャッグ」とは、現在のイメージとは少々異なりますね。この『モダン語漫画辞典』をあちこちぱらぱらと見ていると、いろいろ興味深い言葉にぶつかるんですよ。

■ギャール　ガールのこと。但しこんな発音をすると、英語の点はゼロと云ふことになる。メリケン渡来のモダン語で、婦人を悪く云ふ時に限って用ひられる。蛙に音が通じるので、いけ図々しい女などに用ひて最も妙。

現在もキャンギャル、コギャルといったフレーズを私ですら耳にすることもありますが、実はこの「ギャル」、既に昭和初期に使われていたんですね。ただ、ギャグがギャッグであったように、語形は少し違って「ギャール」というのが違いでしょうか。女性を悪く言うときに限るといいますから、意味も現在とはやや異なるのかもしれませんね。

流行り始めた言葉は、そのとき新たに生じたものだと思い込みがちですが、以前使われていたものが、いったん消滅して長い時を置いて何かのきっかけで復活するということもあります。「ギャル」はそのような好例ですが、「まじめ」を略した「まじ」という言い方もこれに加えることができます。若者が語尾を上げて「マジ？　マジ？」と言っている、あれです。『日国』（第二版）の「まじ」の項を引くと、

■まじ〔名〕「まじめ（真面目）の略」。洒落本・にゃんの事だ（1781）「気の毒そふなかほ付にてまじになり」洒落本・玉之帳（1789-1801頃）三「とんだ金がかかるぞとまじをいふでもねへす」歌舞伎・当穐八幡祭（1810）大詰「ほんに男猫も抱いて見ぬ、まじな心を知りながら」にんげん動物園（1981）四「いまどき、マジで『白魚のような指を…』なんて形容に使う作家は」

と記載があります。編集している当時、『にんげん動物園』に目を通していてこの語を見出したときは、流行り始めの言葉のいい用例を見つけた、と私は喜んだものですが、何のことはありません。その二〇〇年も前の洒落本に例があったのですから。

江戸から明治、昭和へと長い年月が経過し、すっかり忘れ去られていたが、昭和五〇年代中頃にな

って復活したというのは興味深いことだと思いましたが、ちょっと近世とは意味合いが違ってきているようですね。詳しいことを見るべく、『明治・大正・昭和の新語・流行語辞典』を引いてみましょう。

■マジ【まじめ】の略で、本当、本気の意の若者語。多くは「まじ?」と上昇イントネーションで言う。今では単なる相づちの感動詞（下略）

なるほど。これは、おそらく近世にはなかった使い方で、新しい流行表現ですね。『日国』の次の版では、何とかこの用法の実例を添えたいものです。

ナウい言葉はいつ消える?

一世を風靡した流行語といえば、昭和四〇年代の「ナウ」も忘れ難いものがありますね。「ナウな感覚」「君、ナウいね!」など、現代的な新しい感じを表したものです。しかし、昭和五三年ごろにはすでに手垢のついた古い言葉だという記事が『ことばのくずかご』（見坊豪紀　昭和五四年）に紹介されていました。ずいぶんと寿命の早い言葉でしたね。

この『ナウ』は、昭和四九年に早くも『三省堂国語辞典』（第二版）で掲載されています。しかし、だからといって追随する辞典が出てくると、その語は既に衰退期に入っているということもあり得ます。現在では「ナウい」などと使えば、古いねと笑われるのがおちでしょう。こういう語は断固載せない！　と、その姿勢を貫く『岩波国語辞典』の姿勢もわかります。では、『日国』はどうか。私たちは、たとえ短い期間であっても、実際に使われた言葉はできるだけ実例も添えて記述しておく姿勢を取ります。二版で、流行語としての「ナウ」の項に添えられている例は左の二つです。

■このまへの週刊誌がナウな感覚だといへたものかしら〈石川淳『狂風記』昭和五五年〉

■私は、ナウでもなけりゃ古くもない。クロスオーバーでもなきゃ多芸多才でもない〈中島梓『にんげん動物園』昭和五六年〉

こういう実例がある限り、大きい辞書で「ナウ」を採り入れて説明しておくことはどうしても必要なのです。しかし、小さい辞書の場合は、その時々の情況に応じて新しい語を採り入れるために、ほとんど使われなくなった語を削るということも考えなければいけません。恐らく「ナウ（ナウい）」は「イット」と同じような道をたどるのではないでしょうか。小辞典からこの言葉がいつ姿を消すのか。興味深く見守っていきたいと思っています。

小さなカードからコツコツと

すぐれた国語大辞典を作ろうとするとき、その編集に当たる者は学識豊か、見識も豊かでなければなりません。これは言うまでもないことでしょう。私はどうかと言いますと、その点からはどうみても失格者ではないか、と思っております。

だから、『日本国語大辞典』の仕事を始めるにあたって、私には一体何ができるだろうかと不安でした。学殖は一朝一夕に身に着けるわけにはいきませんものでね。ところが、辞書作りには時間をかけて粘り強くやりさえすればそれなりに成果の上がる基礎的な仕事がたくさんあるのです。私のような者にとっては、これは幸い！　としか言いようがありません。

そこで、私はその一つである「言葉の用例カードを作ること」を毎日の仕事としようと考えたわけです。『日国』の編集に取り組み始めていた昭和四〇年ごろから、用例が比較的手薄な近代の文献を中心に言葉を拾い出してカードをコツコツと作り始めていったのです。

初めのうちは、自分で拾い出した言葉がどの程度役に立つのか不安だったので、一つ一つ『大日本国語辞典』と照合して確かめながら進めましたが、これはなかなか面倒な作業になりました。ただ、一万枚ほどこなすうち、どんな言葉の用例が乏しいのか、おおよその見当がついてくるようになりました。経験の積み重ね、いわゆるカンですね。このカード作りは、当面の辞典編集において用例を補充するというねらいもありましたが、それほど切迫していたわけではありません。間に合わなかったら、改訂の際など先々の仕事に役立てばよいだろう、というぐらいの気長な視点で始めたものなんですよ。『日国』の編集に間に合い、初版で利用できたのは八万枚ほどでしたが、ずいぶんと役に立ってくれたと思っています。

もちろん、古典からの用例採集は大勢の専門家によって進められていました。大勢で手分けして採集しているのに、その上また用例を拾う必要はないのでは？　とも考えました。

しかし、無駄なように見えても用例カードは多ければ多いほどいい。なぜなら、たくさんの用例を背景にすると、何よりもまず言葉の意味記述が正確になるからです。それに、場合によっては新しい意味を付け加えたり、用法にまで説明を及ぼしたりすることもできます。いわば、活字になる用例の何倍かの、日の目を見ない用例があってこそすぐれた辞書ができるのだ、とも言えるのです。これぞ氷山の一角というたとえがふさわしいでしょうか。

古典や昔の辞典を読みふけり、まだ見ぬ、知られざる用例を見つけると、発掘されるのを待っていた言葉たちの声が聞こえた、そんな気がいたします。

用例見つからず、浮足立つ

五一ページで挙げた「青空」の場合は、今度集めた用例カードが二〇枚ぐらいあったのですが、時には一枚もなくて困ることがあります。「浮足立つ」という言葉はその一つ。この語は今でもよく使われており、小辞典にもたいてい載せられていますが、『日国』編集でまとめた用例カードには一枚もありませんでした。同じ意味の表現には「浮足になる」というのがありまして、こちらの用例カードは江戸初期から明治初期にかけて相当数あります。したがって「浮き足だつ」は案外新しい語なのかもしれないとも考えました。『大増訂ことはの泉』等の資料を見る限り、明治中期には少なくとも使われていたはずなのです。

ただ、こういう用例探しの場合、「浮足立つ」を見つけたいからといって、その表現だけを鵜の目鷹の目で探し回る、これは能率的ではありません。なぜなら、そういったやり方で短時間のうちに見つけ出せるのは、よほど運がいい場合であり、見つけ出せなかったときはその時間が無駄になるからです。

結局、明治中~後期の小説を三〇冊ほど読み、一年ほど時間をかけて、ようやく「浮き足立つ」にまつわる用例を二例見つけることができました。

もちろん、その三〇冊からは、他にも何千という言葉を拾ってカードにすることができました。

こうして用例を集めるため、私は「明治初期」「明治中後期」「大正・昭和初期」「戦後」と大きく四つの時代に分け、それぞれの時代の作品を選び出し、毎日二ページずつ並行読みし、言葉を拾ってきました。これはもう三〇年近くにわたって継続してきた試みです。

経験、そして継続こそが力なり

このような話をしますと、えー、何だか地味でつまらない。そう見られる人がいらっしゃるかもしれません。だが、私には「早く掘り出して、日の当たるところに出してほしい」と言葉たちが言っているような気もしてなりません。そんな何でもない言葉たちの新たな顔、つまり意味、用法の実例を掘り当てる。これが、私には何とも言えず楽しいひと時です。この楽しみこそが生命のある辞書作りをする原動力になってきました。

もちろん、古書展に足しげく通い、神保町に行ったら古書店に寄って帰る。そんな購書生活を続けていたら、自宅は大変なことになってしまいました。

初版が完結してから一〇年ほど経った頃、思い切って家を改築し、半地下の書庫をつくることにしました。十二畳の広さで、スライドするスチール書棚を入れ、二面の壁の前にも天井までの書棚を設置。これで、書斎および書庫以外の部屋には本をおかずに済むように考えたのです。しかし、一年ほど経つと、いつの間にか本の山が生活空間を侵食。書斎にも本箱を入れ、書斎への階段にも本を置くはめになりました。本好きならおわかりいただけるでしょうが、これはまた悩ましい問題なのです。

多くの様々な資料から語句を拾い上げる経験を積み重ねてカンを養うこと、長期にわたって作業をたゆみなく続けていくこと。この「経験」「継続」の二つは、用例採集に欠かせない要素だと私は思います。

私が好きな言葉は、中学時代の校長がよく言っていた「継続は力なり。青年は前へ」です。その言葉の通り、誰にでもできることを、誰もやったことがないぐらい積み重ねて、徹底してやってきました。それを続けてきたから、これだけの用例を集められたと私は思っています。そうそう、「経験」「継続」に加えて、もう一つありました。辞書作りの仕事が何より好きなこと――これが最も大切なことかもしれません。

辞書とネット、電子化の流れ

『日国』第二版が完結してからも辞書の編集作業は続いています。月に数回は小学館に顔を出し、用例のチェックなどを進めている日々です。もちろん、時代の変化もひしひしと感じています。二版の編集の頃から、既にCD‐ROMで出すのはどうか、という話もあることはあったんです。今の電子書籍、電子辞書の普及を鑑みると、もしかしたら、この第二版が紙で出版する最後の大辞典ということになるのかもしれません。紙の辞書がなくなることはないと思うが、『日国』のようなスケールで今後出せるかというと出版社の判断になるでしょうね。相当の売れ行きを考えないと出せない時代になってきていますから。

しかし、『日国』も二〇〇七年にデジタルデータになり、オンライン版『ジャパンナレッジ』で検索できるようになっています。これはね、私が使っても面白いと思っています。例えば後方一致検索。これは紙の辞書ではなかなか難しいけれども、ネット上ならば簡単にできてしまいますからね。また、『日国.NET』というサイトの中の『日国友の会』コーナーでは、用例カードを一般の方々から募っています。ここも言葉に関するマニアが多いんですかね。新発見も多く、二版で採用した用例よりも時代がさかのぼった例が報告されたこともあります。『日国』初版を出した際、『コンピュータを駆使して作った』など、手作業で編集してきた事実とは異なるところで見当違いの批判をされたこともありましたが、ようやくここにきて、パソコンのネットを使った新しい辞書作りが始まったのかも知れませんね。

ただ……私自身、日常ではインターネットを使いません。それは単純に時間を取られてしまうから。だから触らないようにしてきたわけですが、紙で出す出さないは別にして用例は拾っておかなければ。

ウィキペディアなどもそうですが、ネット上の辞書の大きな特徴は、その更新スピードにあります。つねに、新しい情報によって書き換えられていく。当初、日国もネット展開する以上、日々更新したらどうか、という意見もありました。

しかし、言葉の研究者は、『あの言葉は、この時代の辞書に載っているのか』という確認のために辞書を使うことがあります。ですから辞書が更新され続けていくと、その辺がややこしくなるのです。たとえば『大辞泉』第二版は、二〇一三年に刊行されました。この辞典に載っている言葉、用例がいつ拾われたかは、第二版であることがわかれば、年代が特定できます。しかし、次々に更新され、上書きされていくようであれば、果たして、この言葉がいつ拾われ、広がっていったのかが不明になってしまうかもしれません。辞書には参照するべき存在、という意味合いもあります。共通の教養ベースによる議論の土台として役立っていく。これもまた辞書の使命の一つなのです。

そして、辞書作りは続く

「日国友の会」で、多くの用例が発見されていることからもわかるように、用例探しには決して終わりがないんですね。やればやるほど出てきます。これは辞書作りに敷衍して考えてみても、同じです。用例採集に終わりがないように、改訂の余地は常に、どの項目にも存在するということがわかってきます。

辞書には版の刊行があれども、最終的なゴールというものはありません。「永遠に未完成」と言えるでしょう。昨日よりも今日、今日よりも明日、一つでも多くの用例を見つけ出し、言葉に関する情報を付け加えたい。その一心で私は辞書編集者の道を歩んできました。

次の三版が、どのような形でいつの出版になるかわかりません。紙の辞書になるのか、オンデマンドのような形で出版されるのか、はたまた電子化されるのか。その形を想像することも楽しみの一つです。しかし、『日国』の歴史は、たゆみなく続いていくのだと思います。

先に挙げた読書や古本屋めぐりは、私の数少ない趣味の一つですが、結局、『この古本は辞書に使えそうだ』とか『この小説から用例を探してみよう』ということになってしまっています。そう、私の半生、いや一生は、すっかり辞書を中心とした人生です。

なーんだ、気がつけば、冒頭で振り返った祖父と同じ。書物に囲まれて終日机に向かっていた、あの祖父とそう変わらない日常を私は送ってきたようにも思います。

しかし、祖父・簡治の時代との大きな違いは社会事情です。祖父は必死の思いで集めた資料を『大日本国語辞典』初版で結実させることができました。ただ、改訂増補を志して仕事を続け、それがほぼまとまったというのに戦禍で刊行がかないませんでした。また、父の驥は五九歳で早世していますす。法学部を出ていながら祖父の辞書作りに長年協力していた父にとって、晩年を心置きなく辞書の仕事に打ち込むことは、彼の人生計画の一つだったでしょう。しかし、その実現を目前にしながら。突然の早逝。臨終の際、その無念さを感じて私は涙が止まりませんでした。

一方、私は戦禍や震災に巻き込まれることもなく、大きな病気もせず、この年まで生きることができ、初版も第二版も無事に世に出すことができました。最初はとにかく夢中で、完結するまでは何とか生きていたい。そう願ったものです。

第二版の九巻を出した後、ニューヨーク同時多発テロの発生で世界は震撼しました。しかし、何とかその年の間に最終巻の刊行にたどり着くことができ、心底ほっとしたことを思い出します。もし何らかの事情があって刊行中止になったらどんな気持ちだろうか。私は戦争という状況で増補巻の刊行を断念した祖父、そして早世した父の無念さは察するに余りあります。そして、辞書は平和と共にあるものだ。そんな思いも去来します。

ここまで綴ってきたように、辞書作りを通して、私は言葉の面白さをとことん感じてまいりました。これを読んでくださっている皆さんも、『日国』そして多くの辞典を手に取り、言葉に興味をもっていただけたら、それは何よりうれしいことなのです。

〈二〇一四年四月〉

「辞書の家」松井栄一氏ロングインタビュー

［倉島長正］

初出：二〇〇〇年八月【本の窓】

「辞書の家」松井栄一氏ロングインタビュー

インタビュアー◎倉島長正（『日本国語大辞典』初版編集長）

三代の辞書への情熱

倉島　『日本国語大辞典』について、松井先生に伺うわけですけれども、その前に私の思い入れを最初に述べておきたいと思います。

『大日本国語辞典』あっての『日本国語大辞典』であり、またその第二版であると思います。松井先生のおじいさんに当たる簡治先生が『大日本』に注がれた情熱が、お父様の驥（き）さんに受け継がれ、さらに当代の栄一さんの情熱によって、『日国』及び、その第二版が支えられてきているわけです。

今日は順を追って、そのお話を伺いたいのですが、三代の辞書への情熱は共通するかと思いますけれども、お三方それぞれの別の個性もおありになったんじゃないかと思います。その辺のところを最初に、少しお話しいただけると。

松井　祖父は、私の知っている限りは、朝から晩まで、座り机に向かって何かしているという印象でした。今から思えば、やはり辞書の資料をつくっていたと思えるんですが、私の知っている範囲では、朝は七時か八時ぐらいになって起き出しているように思いました。それは既に『大日本国語辞典』ができ上がってしまってからの話ですけれども。で、夕食が七時ぐらいか、もしかしたら八時ぐらいだったのかもしれないんですが、私の父と一緒に酒を飲んで話をして、それが終わると九時過ぎには、もう床に入っていたと思います。わりあい夜は早く寝て、朝早く起きる習慣だったように思うんですが、実際に辞書をつくっているころは、祖父が書いているものによれば、非常に早いんですね。朝三時に起きて。

なぜ三時に起きて仕事をするかというと、大学に勤めておりましたので、もう八時とか九時には大学のほうの仕事が入ってくる。あるいは人が訪ねてくるとかということもあったようでして、仕事は大体、朝の三時に起き出して五時間というのを辞書の仕事に当てている。人が決して訪ねて来ない時間であるというので、それをずっと学校のある間じゅうは続けていたんだと思います。

祖父の性格は、どうなんでしょうかね、今から思えば、もう少しいろいろ話を聞いておけばよかったなという思いがありますけれども、父とは違っていたような気がするんですね。

私の父というのは、会社勤めが嫌になるとすぐやめるたちだったらしくて、最初、大学を出てすぐ勤めた所は一年ぐらいでやめたようで。上司とけんかしたと聞いているんですが。それで、その後、東京市役所に入って、これは何年かいたようなんですね。私が小さいころ、北海道の函館に一年ぐらいいたらしいんです。私は全く覚えていませんけれども、函館市役所に勤めていたと聞いています。父の履歴書というのがありまして、実は今日、それを一生懸命探したんですが、ちょっと見つからなくて持ってこられませんでしたけれども、内容は数枚にわたっているんですね。それはここは何年にやめて、こっちに勤めて、ここをやめて、また勤めてというので、戦争中も何カ所か変わっていました。勤めていない時代もあって、勤めていない時期というのは、祖父の辞書を手伝っているわけです。

で、私の母の話によると、父の月給がどのぐらいだったか全然知らない、渡されたことはないと。いい時代だったな（笑）と思いますけれども、みんな、祖父が出していたんだと思います。一緒に生活していましたから。

あのころの国立大学の先生というのは給料は非常によかったようですね。それからもちろん、辞書の仕事もありましたけれども、教科書の仕事がありまして、あれはやっぱり印税なんでしょうが、入っていたんだと思います。それで、親戚の者は大体、私の祖父を頼って来てまして、私の小さいころは大体、家で生活しているのは、お手伝いさんやなんかも含めて十一人とか十二人とか、そのぐらいだったんですね。私の父の姉というのが結婚して夫に死なれて、子供三人と一緒に家に戻っていたとか、そういうこともありますけれども、ほかに何かよくわからない親戚の人が居候していたこともありました。

まあ、そんなことで、父はわりあい、祖父と違って、いろいろと思ったように気ままにやっていたような気がするんです。

父は法科を出ていまして、だから、会社勤めに普通はなるわけですね。けれども、『大日本国語辞典』縮刷版のあとがきによりますと、十歳のころに祖父の辞書の原稿整理を手伝ったとか、大学時代に『大日本国語辞典』の三校を全部引き受けて、校正をしたとか、そういうことを書いていますから、わりに若いころから、もう祖父の辞書を手伝っていたということはあるわけです。

それで、国語・国文に関しても相当関心を持っていたようで、『国語と国文学』にも論文がありますし、『文学』という岩波の雑誌にも、『国語教育』という雑誌にも論文を出したりしていますので、一体、私のおやじは何をしていたんだろう、という疑問がいまだにあるんですね。それで、法科を出て弁護士でもあったわけです。だから、弁護士の活動もしていた時期もあります。それから、東洋大学で中世法制史というのを教えていた時代もあるよう

で、さっぱりわからないんですね。（笑）

それで、大須賀乙字《おおすがおつじ》という俳人がいるんですが、この人に父の姉が嫁いでいるんです。それは最初の乙字さんの奥さんというのが早死なさったんで、その後妻という形で入っているんですけれども、そういう関係で、父は俳句もやっていまして、戦後は俳句、特に連句に興味があって、大分、連句の指導などもしているんですね。一体、いつ、そんなことを身につけたのか、これもよくわかりません。それは死ぬまでやっていたんですね。

私はどっちかといえば、祖父のほうに似ているのかなという気はします。というのは、父は非常に何でも書くのが早いんですね。死ぬ前一、二年、非常に大量に俳句雑誌に俳句の鑑賞とか、連句の修行欄とか、そういうものを連載しているんですね。それで仕事は衆議院の行政監察委員会という名前だったか、何かそういうのがありまして、そこに勤めるかたわら、そういうことをやったりしていて、非常にぱっぱと書けたらしいんですね。私はそういかないんで、祖父もほとんど、書いていませんから、私が祖父に似ているのかなという気がします。

倉島　簡治先生のことは皆さんよくご存じだと思いますが、お父さんの驥さんのことは今日初めて伺うようなことが多かったです。まさに今のお話ですと、国語・国文に関心が深くていらしたわけですので、栄一先生は当然、国語・国文のプロパーでいらっしゃるわけですけれども、「辞書の家」が三代続く様子がよくわかりました。

ではまず、『大日本国語辞典』の誕生から入っていきたいと思います。簡治先生がお生まれになって、東京へ出て来られて遊学中といいますか、いろいろなことを勉強されていた時代がちょっと長かったように思うんですけれども、どうでしょうか。

松井　ええ。祖父の古希のときに古希祝賀記念の記念誌というのがあって、ここに履歴のようなものが書かれているんですよね。何年にどうしたというのが出ていまして、それによると……。

宮内という銚子の銚港神社の神官をやっていたのが祖父の父親でして、もともと姓は宮内だったわけです。で、銚子が当時、交通の非常に大事な港であったために、高崎藩がそこの警備を任されていたらしいんです。それで、その警備の主任のような形で、高崎藩の家来であった松井清というのが銚子にいたわけですね。高崎藩の飛地があったと聞きますけれども。そこに陣屋というところがあって、その陣屋詰めというのでいたんですね。

祖父の父親というのは神官で教養があったために、この高崎藩から来た人たちの師弟を塾のようなものを開いて教えていて、それでどうも目をつけられたらしいんですね。それで、松井清というのが子供が全然なかったので、養子に来てほしいと言われて、松井に入ったというわけです。

祖父の奥さんになった人は、松井清の子供がいないので、その弟の娘なんですね。弟の娘と私の祖父が結婚したんで、夫婦とも養子なんです。夫婦養子ということですね。結婚したのが明治十五年らしいんですが、明治十七年に長女が生まれた。どうも生まれたときには、もう上京しているようなんですよね。ちょっとここの前後関係ははっきりしませんけれども、家族は残したまま一人で東京へ出てきて、最初は英語を学んでいるようなんですね。私立英語学校というのがあったようでして、そこに入学して英語を学んだということになっているんです。

ところが、入学したのは私立英語学校と書いてあるんですが、二十二年に私立明治会学館というのを卒業しているんです。私立英語学校の名が改まって、私立明治会学館となり、そこを卒業したということなのか、何も書いてないんで、よくわかりません。あのころは、どうも名前がよく変わるんですよね。だから、多分、入学した学校の名前が変わったんだとは思うんですが。

で、卒業してすぐ、今の東大に当たるんですが、文科大学とそのころは言いましたが、文科大学の教育学科に入っているんです。これがまた特約生としてあります。これは必ずその後、学校の先生になって教えるという前提で入れるところらしいんですが、そこで今度は、国文とか漢文の教育学を学んでいるということになっています。けれども、これはどういうわけか、一年ぐらいで卒業なんですよね。

それで、卒業した年に嘱託として獨協の先生になっているんですが、同時に、国文学の選科生というのになっていて、これまた一年間やっているんですよね。文科大学国文学科選科生として在学というのが、明治二十三年なんですが、この辺の関係も実はよくわからないんです。

それで、明治二十五年になると、学習院の教授に既になっているんです。この学習院の教授になったときに、家族を銚子から呼び寄せています。これはどれにも記録がないんですが、市ケ谷の近辺に住まいがあったんだと思います。そういう話を聞いたことがあるんで、多分、市ケ谷だと思うんですね。それからしばらくして、関口駒井町という、ずっとその後、長いこと住まう場所に移っています。

倉島　今のお話で、上京されて、英語を学ばれたと。外国語をかなり勉強なさったんだと思うんですよね。それで、たまたま先ほどの明治二十年前後というのは、OED（オックスフォード大辞典）の第一巻がまとまるのが明治二十一年なんですね。正確には当時はまだNEDですが、上田《うえだ》萬年《かずとし》（国語学者。松井簡治と「大日本国語辞典」を共に編纂）が、それを踏まえて『辞書論』を書いたのが二十二年ですよね。ですから、当時、文科大学に入られる前後に、簡治先生もOEDの第一巻をごらんになっているんでしょうね。

松井　多分、そうなんでしょうね。昭和女子大学で出している『近代文学研究叢書』に書かれているものによると、祖父は外国語学校をぜひつくるべきだと考えて、その運動を随分やっているんですね。それで一時できるわけです、外国語学校が。ところが、これがまた、経費の関係で一たん廃止されるんですね。それをまた復活しなきゃいけないんだということで、相当、運動をして、それで明治三十年に復興する。その後、非常に外国語学校が盛んになる。そういうことをやっているという記録があるんですね。だから、多分、外国語は必要だということで考えていたことは確かですね。

倉島　で、明治二十五年に学習院の教授になられて、ご家族を呼び寄せられて、居を構えられたと。そのころから、大辞典の編纂の志を立てられたと伺ったことがあるんですけれども、時期的にはそんなことでしょうか。

松井　多分、そうなんだと思いますね。『大日本国語辞典』の宣伝パンフレットによると、大体明治二十五年から約六年間、資料や参考書を収集したということですね。それから、その後五年間で索引を作成したということが書いてありますね。

ここに『書誌学』という雑誌の昭和十一年の七巻二号に祖父が出した『我が蒐書の歴史』というのがありまして、どうやって本を集めたかということが書いてあるんですね。これを読みますと、浅倉屋という書店が、東大に一番本を納めている。だから、これは浅倉屋という古本屋が非常にいいんじゃないかというので、浅倉屋から本を買うということにした。そのときに、大八車いっぱい、まず買う。それはどうも、あまりいい本はその中に含まれてなくて、それで約百円だったというんですが、その当時の百円は相当でしょうね。それを買って、もう一回、また一車持ってきたんで、これもあまりいい本はなかったんだけれども、七、八十円でそれも全部置いていけといって、そっくり買ったというんです。

それで、三度目に来たときに、もう二回、これだけつまらない本まで買ったんだから、多分、信用がついただろうからというので、それからは選んで、いいものだけを買うようにしたと。こういうことが書いてあるんですね。そういう買い方を昔はしているようです。

倉島　そうじゃなければ、あれだけの資料は集まらなかったでしょうね。

それで、ちょっと話は戻りますけれども、明治二十五年ごろから始められたとしますと、その前の年に『言海』が完成しているんですね。芝の紅葉館（明治～昭和期に東京・芝公園にあった高級料亭）で祝賀会が盛大に行われましたから、簡治先生も当然、それをご存じだったわけですけれども、そのときに、『言海』の中身と比べて、もっと文献によった辞書をつくるべきだという発想がですね。まあ、『言海』を反面教師にしてというのも変ですけれども、そういう形で。先ほどのOEDなんかもごらんになっていて、文献を主体とした辞書というのを企画されることになったんじゃないかと想像されるんですけれども、OEDとか、『言海』の完成というのは、かなり簡治先生の事業に刺激になっていたんじゃないかと推測されますが。

松井　それはそうでしょうね。ただ、あまりその点ははっきり書いてあるものがないんですね。だから、ちょっとその辺がね。やっぱり、いくらか対抗意識があって、そういうことは書かなかったのか、ちょっとその辺はわかりませんけれどもね。

倉島　これは余計なことですが、『大言海』のときの比べ方でも、そういうところがありますね。

先ほど、収集された資料のとばロのご苦労というか、テクニックというかを伺ったんですけれども、収集された資料というのは、最終的には静嘉堂《せいかどう》（東京都世田谷区にある専門図書館。静嘉堂文庫）へ納められたわけですけれども、膨大なものですね。

松井　そうですね。静嘉堂の目録には国書関係と、漢籍関係と二冊あり、ほかに続というのがあって、その続が全部、松井文庫なんです。

倉島　それで、収集された資料をもとに、今で言えば索引をつくられるわけですね。これはお一人で多くの文献の便覧ともおっしゃっていますけれども……お一人でおつくりになったんですかね。

松井　いや、それはよくわからないんですよね。『国学院雑誌』に明治三十一年に『国書の索引』というのを書いているらしいんですが、それは実は手元にないんですが、例の伝記によれば、『国書の索引』というのは、和漢の書は洋書に比較して、よい索引書のないことを遺憾とし、学術進歩のために、校訂の完全な定本を刊行して、さらに索引を付す必要性を述べているとあります。

倉島　でも、手伝った人があれば、かなりそういう記録があるんでしょうけれども、どうも今のお話なんかを伺っていると、先生お一人のご尽力だったように思いますね。

松井　そうですね。だれに手伝ってもらったとか、あるいは私がそれを手伝ったという話は聞かないですね。大学で教えていれば、弟子たちがいくらか手伝っていたのかもしれないですけれども。

倉島　でも、そういうことを語っている弟子もいませんね。

松井　いないですね。いや、私が知らないのかもしれませんが。

倉島　それで、この辞書の用例ということで言うと、簡治先生の企てられたのは索引ということですから、かなり本格的なんですよね。これがOEDと比べますと。OEDのほうはカード、スリップと言っていますけれども、ボランティアに読んでもらって、必要なカードをとるという作業なわけですけれども、それに対して簡治先生の作業は、『源氏』なり、『今昔』なりの索引をつくっちゃうと。そういうことですから、完全な索引じゃないにしても、大変な作業ですよね。ですから、事前に言葉の総体を網に引っかけようということですから、大変な構想だったし、それを完遂なさったというのは、多分、お一人だと思うんですけれども、今じゃ考えられないですね。

松井　そうですね。それが、そういう個々の文学作品のようなものまでやったのやら、あるいは古辞書がありますよね。古辞書というのはイロハ順であったり、部門別であったりしますよね。だから、それを利用しやすいように五十音の索引をつくるということも、索引づくりに含まれているんじゃないかという気もするんですね。だから、『源氏』やなんかの索引まで全部つくったとなったら、これは大変なことですけれども。

倉島　さて、資料をまとめられて、いよいよ出版ということで、冨山房と契約を交わされるわけですけれども、明治三十七年でしたね。それからまた、簡治先生お一人で執筆を続けられるわけですけれども、一日三十三語という数字が語り継がれているわけです。その中身をちょっとお話しいただけませんか。

松井　やはり『国学院雑誌』の昭和二年、『辞書と歴史研究』というのにあります。どうも、これは談話筆記らしいんですね。「文責は記者にあり」と書いてあるんで、多分、しゃべったことを速記かなんかでやったんだと思うんですね。これに実は一日三十三語が書いてありまして。そこには『群書類従』の歌の部の索引、あるいは『源氏』とか『枕草子』とか、また鎌倉時代だったら、軍記その他、その他おとぎ草紙とか、狂言とか、近松とか、西鶴とかというようなもののすべての言葉の索引をこしらえた、と書いてありますね。

倉島　そうでしょう。

松井　うっかりしてました。(笑)

それで、どのぐらい言葉があるかということがわからなければ予算が立たないので、こういう索引をつくって、言葉を拾ったらば、四十万ほどになったと。そこで自分で勘定してみると、百年で三万六千五百日であるから、四十万ではやりようがない。これはもう少し縮めよう、二十万ぐらいにしよう。こういう考えで、大体二十万ばかりを目標にして、一年を三百日、六十五日は休むものとしまして、二十年で六千日になる。六千日で二十万語をやると一日三十三ぐらいだ。こうやって三十三が出てきたんですね。

それで、それぐらいならば何とかできるかもしれない。病気がないものと自分は信じて、三十三と決めて、毎日三十三はやるけれども、一つの言葉でもって一日あるいは二日ぐらいかかることもある。そうすると、翌日は三十三が六十六になって、一語に三日かかっちゃったりすると、三日目には九十九やらなきゃならなくなる。こういうことで、だんだん遅れてくるので、夏休みを利用して、夏休みは十時間やったというんですね。平日はさっきも言ったように、三時から起き出して八時までの五時間とする。その間に三十三語をやって、できない分、だんだん伸びていったらば、夏休み、七月、八月は毎日十時間やる。けれども、十時間以上やると頭がぼうっとしてくるんで、それ以上はやらなかった、と書いてありますが。

やっぱり、これはなかなかできないことですね。

倉島　『大日本国語辞典』自体は、その前に大正八年に完成しているわけですけれども、それから索引を手がけられて、索引が昭和三年に完成しますから、今の論文はちょうど、その完成を前にしてお書きになったものですから、かなり生々しいご記憶だと思いますね。その三十三語の計算というのは非常に興味深いと思うんですけれども。

実はOEDを実質的に成功に運んだという編纂者にジェームズ・マレーがいますね。彼が、第一分冊を刊行する前、自分が参画したときに、一八八二年ですけれども、やっぱり一日三十三語という数字を出しているんですよ。

松井　随分、それは偶然ですね。

倉島　偶然です。それで、一日三十三語を仕上げるのは極めて困難だと当局者に訴えているんですね。とても一日三十三語はできないと発言しているんですけれども、これが今のお話を伺うと、偶然の一致というのは、やっぱり一年三百六十五日だけれども、実質三百日だと。それで三十三というのが偶然出てくるんですね。

で、それを実際におやりになった簡治先生は大変なものですけれども、ジェームズ・マレーは、そこでそんなにできないよということを言っちゃうんですけれども、しかし、同じ三十三語という偶然の一致が辞書編纂の中で出てきたというのはおもしろいと思いました。

この関連で言えば、大野晋《おおのすすむ》（言語学者・国語学者）先生は、一日三語が限界だと。これも大体、一年で千語になるという計算なんですよね。だから、わりあいに辞書をまとめられる方は、年単位で考えるために、三とか三十三という数字が出てくるというのは、ちょっとおもしろく思いますね。

さて、簡治先生の執筆が進んで、いよいよ刊行ということになるんですけれども、実は簡治先生は用意周到な方で、原稿が全部できたところで組に回すと。それで本にしていくというふうに計画されたようですね。その点、例えば私どもの『日本国語大辞典』も、必ずしも完成原稿になってなかったということを思ったり、ＯＥＤにいたっては、ＡＢＣ順にまだカードを集めているんですよね。カードを集めて、それで原稿を書くという追っかけ作業をしているんですけれども、簡治先生の『大日本』はその点、まさに完成原稿を用意してということですから、用意周到もこの上ないもんだと思いますね。その点、非常に感銘を受けるんですけれども。

で、刊行のときに、共著ということで上田萬年先生の名前が一緒に並ぶわけですけれども、実際のご執筆はお一人と考えていいですね。

松井　と思いますけれどもね。それは上田さんの名前をいただかないと、あのころは、ちょっと出版社も引き受けてくれないという事情もあったんだと思います。
ただ、今おっしゃったように、原稿が完全にできてから組んだというのは、用意周到であったためだったのか、ちょっと疑問な点もあるんです。というのは、これに書いていますけれども、安い紙を買ってきて、それに書いて、それが何尺かになったらば、これが一巻分であるというので、四巻で出すというのを、分割して原稿を書くと、どのぐらいになるかということをやってみて、それで、これで一巻できたと。これで一巻できたというのをやってみないと、四巻におさまるかどうかというのがわからなかったんじゃないかと思いますね。だから、やむを得ず、全部できるまで待っていたんでしょう。
ただし、やっぱり第四巻が、こんなに厚くなっているんですよ。それは結局、手を入れていくと、最初の予定はこれで一巻と思っていたのが、最後になって、こんなになっちゃって、しょうがなくて全部詰め込んだと考えられます。だから、それを用意周到と言えるかどうかは、ちょっと疑問な点もあるんですよね。

倉島　でも、四巻の最後が厚いと言い条、パーセントでいったら五%ぐらいのところでしょうね。

松井　まあ、それはそうですけれどもね。

倉島　そういうことを思えば、OEDなんかは、最初は六千ページから始まっているんですよね。マレーがだんだんそれでは無理なので、八千ページまで許せと言ってね。それで、いろいろな経過があって、結局は一万六千ページになるわけですからね。そのことを思えば、やっぱり用意周到と言っていいんじゃないでしょうか。
で、執筆ということで言えば、ジェームズ・マレーがOEDをやったというんで、マレーの辞書なんて言うんですが、実際はマレーは半分しか書いてないんですよね。ですから、松井簡治先生が全部書かれたというのは、その比較でも、大変な偉業じゃないかと思うんですね。

松井　でも、全部といっても、動植物はどうも違うんじゃないかなと思われます。それから、「あ」「い」という五十音の項目は、橋本進吉《はしもとしんきち》（国語学者。音韻史の分野では上代特殊仮名遣いを解明）先生が書かれたことは確かですね。先日、近代語研究会の懇親会に出て行ったら、橋本進吉先生の息子さんの研一《けんいち》先生が見えていて、「ちょっとちょっと」とおっしゃるから、何だろうと思ったら、橋本先生の奥様が百二歳で亡くなられて、「その後、いろいろ整理していたら、おやじのものも出てきまして」とおっしゃるんですよ。『大日本国語辞典』の「あ」「い」というあれは、祖父が芳賀矢一《はがやいち》（国文学者。国文学研究の開拓者といわれる）さんを通じてかなんかして、橋本先生にお願いをして、そこの項目だけ書いてくださいと頼んだようです。その原稿が全部出てきたって。筆で書かれたのが。

倉島　そうすると、これはおもしろい因縁で、『大日本』の五十音項目を橋本進吉先生が書かれたと。『日本国語大辞典』の五十音項目は林大先生。娘むこに当たられるわけですから、これも二代にわたっていますね。（笑）

あれは、「五十音をどうしましょう」と言ったら、林先生が「私がやります」って即答なさったですね。しかも順調にお書きになった。やっぱり、橋本先生のことが頭にあったんですかね。

松井　じゃないんでしょうかね。

倉島　なるほどね。今初めてわかりました。

さっきも言いましたけれども、OEDはマレーに継いでブラッドレーとか、クレーギー、アニアンズと四人の編纂者で完成するんですよね。マレーが簡治先生と似ていて、教職と兼ねながら書いているんですね。ところが、最後のほうでは教職を投げ打っているんですけれども、とにかくマレーが半分を書くのに費やした三十五年ぐらいあるんですけれども、簡治先生は三十六年ぐらいですかね、索引まで入れると。全部、お一人で全巻をお書きになったというのは、まあ、量的なことを比べても大変なことだったと思います。実にコンスタントに執筆なさったんですね。だから、完成したんじゃないかと思います。

「大日本国語」から「日国」へ

倉島　続いて、今度は『大日本国語辞典』が成長していく過程を伺います。大正八年に四巻完成したところで、簡治先生は文学博士になられるんですけれども、そのとき、休む間もなく索引づくりにかかられて、索引と一緒に修正版というのが刊行されますね。この辺をちょっとお話しいただけますか。

松井　索引をつくるということは最初からの予定だったんだと思うんですが、なぜ索引が必要かというと、一つには、『大日本国語辞典』が当然、当時を反映して、見出しは歴史的仮名遣いになっているわけですね。そうすると、歴史的仮名遣いというのは、やはり普通の発音どおりではありませんから、引くという場合に非常に引きにくい。歴史的仮名遣いを知らなければ引けないという障害があったわけです。

そのころ、明治の終わりごろに、そろそろ漢字の音などは、今で言う現代仮名遣いに近い発音的なものを見出しにしたほうがいいんじゃないかと。そういう傾向が見え始めるわけですね。

まあ、それもあるんで、漢字索引の前に仮名索引というのをつけているわけです。これは表音式の仮名索引であるということを言っているわけです。ただ、表音式の仮名と歴史的仮名遣いが一致するものは入れない。だから、一致しないものだけ挙げるというやり方で仮名索引はできているわけです。

それから、その後に漢字索引がついているわけですが、これはほんとうは今やっている『日本国語大辞典』にも欲しいですね。というのは、日本語は漢字が出てきますね。その漢字が読めないと国語辞典は引けないわけです。

ですから、こういう辞書では、漢字から引く索引というのも必要だということも当然考えたんだと思います。

一つの例を言えば、画数によって「明」という漢字を引くと、その「明」がつく熟語が並んでいるわけですが、そこにある「明日」という表記は、辞書の見出しでは四か所に出ているということが示されています。それはなぜかというと、「あす」「あした」「みょうにち」「めいじつ」に出ているからです。というので、四ヵ所に使われているということが、その漢字索引からわかるわけですね。

これは今の国語辞典もほんとうは欲しいんですよ。日本人は、掲示でもって、「明日十時、集まれ」と書いてあっても、これはあしたのことだとわかりさえすれば、「明日」をどう読んだって構わないわけですよね。けれども、外国人はそれを初めて見る場合に、一体、あれは何て読むんだろうと思ったときに、国語辞典を引こうと思っても引けないわけですから。読めなければ引けないから、漢字のほうで引いて出てくれれば、あれは「あす」とも読む、「あした」とも読む、「みょうにち」とも読むとか、こういうことがわかるということにもなりますね。

ただし、ほんとうはそれだけじゃまだ不十分で、じゃ、「あす」と「あした」と「みょうにち」はどう違うんだ。「めいじつ」と言うのか言わないのかとか、そこまでほんとうは国語辞典でわからなければいけないということがあるんですが、それは別にして、そういう索引が国語辞典には必要だと、こう考えたんだと思いますね。

それと同時に、こういうのをつくるならば、いろいろ批判されているようなところ、やっぱり、ここは違っているんじゃないかとかということが言われていたと思いますから、そういうところで手直しをして修正版というのをつくろうと思ったんだろうと思いますね。

ただ、修正版と初版本とを、一生懸命比べたんですけれども、違いはあまりないんです。初めのところでちょっと気がついたのは、「阿吽」という項がわりに大きく直っていまして、全然違った意味が書いてあります。違ったというのは、言い方が変わってまして、用例が入ってなかったところに、謡曲『安宅』の例が修正版では入れてあります。ただし、行数は変わらないんです。

そういうようにしてやってありますから、これはよっぽど細かく見ていかないと、どこが修正してあるかというのは……。だから、多分、大きな修正はほとんどないと思います。各ページ終わりは、一巻をずっと見ましたけれども、おさまっている言葉は全然変わりがありませんからね。そのページの中でもし動かすことができたら、あるいは動かしたところがあるのかもしれませんが。

倉島　わかりました。索引が当初の計画から簡治先生の頭の中に入ってらしたというのは今初めて伺ったんで、これはまた、新たな感動的なエピソードです。

漢字のことは当然なんですけれども、字音だけを違うところへ出さなければというのは、考えてみますと、明治三十三年から四十一年にわたっては、小学校の教科書が字音だけ、例の表音式仮名遣い（語をかなで表記する際の方式として、かなを現代の発音にもっぱら対応させるもの）なんですよね。ですから、そういうことも頭にあって、配慮をされようと当初から考えられていたんでしょうね。それにしても、トータルな当初からの計画だったと思うんです。

昭和三年に索引が完成しているんですけれども、この年は、またちょっと奇しき一面がありまして、諸橋《もろはし》轍次《てつじ》（漢学者。「大漢和辞典」全13巻を完成した）先生が、大修館の鈴木一平（大修館書店の創業者）と『大漢和』の契約を交わしているんですよね。『大漢和』の発想というのは簡治先生に促されて、ということをしばしば諸橋先生が語っておられましたので、昭和三年に索引の完成とともに、諸橋先生が『大漢和』の事を起こされるというのが大変意義深いというか、一つの偶然かもしれませんけれども、何か意義をちょっと読み取りたくなっちゃうところですけれども。

松井　ちょっと言い忘れましたけれども、明治に出た『言葉の泉』という国語辞典に索引がついているんですよね。だから、多分、ああいうのを見て、やっぱり、あるほうがいいんじゃないかと思ったんじゃないでしょうか。ただし、あれは漢字索引だけだったんじゃないかと思うんですがね。

倉島　わかりました。

で、先に時は流れますけれども、昭和七年二月に、松井簡治先生の古希祝賀会が催されているわけです。これも一つのエポックだったと思うんですけれども、そのときの記念冊子があって、その中に松井家のお写真があるわけですけれども、簡治先生を中心にして、お近くに驤先生が座られて、そのひざの上に栄一先生は乗っておられて、ずっと天井を見られているんですね。

松井　天井を見ているのかな？　それはぼんやりしていたんじゃないんですかね。（笑）

倉島　そのころは五、六歳かと思うんですけれども、そのときの印象は？　ご家庭の印象は残っておられるんでしょうか。

松井　その写真は控室かなんかで撮った写真だと思うんですが、講堂の壇上にみんな乗せられて、それでずらっと前に人がいたという感じがありましたけれども、この写真は全然わかりません。覚えてないですね。

倉島　編纂室が、文京区関口駒井町のお宅の崖の下だか、上だか、いろいろあって、そういういわば「辞書の家」の別室といいますか、離れというか、そういうものとのかかわりというか、先生のご記憶をちょっと。ご家庭の模様をお話しいただけますか。

松井　それはもう私が成長してからも、ずっとそこにいましたから。母屋があって、崖の下に、新書斎という名前で普段呼んでいるところと、編集と呼んでいるのと、二つ建物があったんですよ。それで、編集と呼んでいるほうは、多分、『大日本国語辞典』を編集しているときに、外部からの、それこそ阪倉篤義《さかくらあつよし》（国語学者。京都帝国大学卒）先生のお父さんとか、そういう当時の大学院の学生さんが仕事を手伝ってくれていた建物だと思うんですが、もう私が知っているころは、ただ周りに書棚があって、がらんとしていて、あまり人が使っているような気配はない建物でした。

倉島　阪倉篤義先生のお父さんというのは篤太郎さんですね。上田萬年の要請を受けて語源の資料を集めるために通われたころのことを直接伺ったことがあります。そのとき自分とは交渉はなかったけれど四〜五人の方が居られたと……。それが書斎と呼ばれるほうだったんですね。やがて人の出入りはなくなって……。

松井　ところが、新書斎という新しく建てたほう、ここはその後も何人かの人が辞書編集のために来ていたんです。というのは、その後の話になりますけれども、『中辞典』とか、増補カード作成とか、そういうのの仕事に来ていた人が、そこを使っていましたね。なぜ、あの編集というほうを使わないで、新書斎にしたのかはよくわからないんですが、住み心地は、やっぱり新しいほうがよかったですよね。編集のほうは相当荒れ果ててましたからね。

で、私が小さいころ、幼稚園などに通うころに送り迎えしてくれていたじいやさんというのがいたんですよ。六十ぐらいだったのかなと思うんですが、そのじいやさんが寝起きしていたのも、その編集という荒れ果てたほうなんですよ。それだけぐらいしか使ってなかったんじゃないでしょうか。

倉島　その新書斎というのは相当大きかったんでしょうね。

松井　いや、あまり大きくないです。周りに雨戸があって、建物としては玄関じみたものは何もなくて、濡れ縁があって、上がるとがらっと障子をあけて、すぐ書斎なんですね。それが四畳ぐらい、四畳半はなかったと思うんですね。そこに座り机が真ん中にあって、両側に座れるようになっていて、書棚があって、あと、人が一人ぐらい通れる程度の空間のほかはみんな書棚だったですね。で、トイレがあって。というぐらいで、全くの仕事部屋という感じですね。

倉島　それは前のときから、先生がお一人で執筆ですから、似たような編纂室で作業をなさっていたんだろうと思うんですけれども、それを今思えば、やっぱり索引をつくられていたから、そういう狭いところでもできたんじゃないかと。

また、OEDを引いて悪いんですけれども、ジェームズ・マレーの部屋なんかを見ると、カードでびっしりなんですね。書籍というよりは、カードの間ですよね。ですから、簡治先生の場合は、索引がきちっとできていたために、書籍だけで場所をそんなに取らなかったのかもしれませんね。

松井　そうですね。そこがよくわからないんですよね。私の知っている範囲では、祖父は新書斎にはほとんど行ってないんです。母屋にある自分の書斎でばっかり仕事をしていまして、新書斎というのは、父が『中辞典』をやったり何かするのに使っていて、そのころ、昭和十年過ぎだと思いますけれども、外から二人ぐらい手伝いの人が来てまして、三人ぐらいでやっていました。

倉島　お父様がお手伝いで中心になって編纂を始められたころ、しばらくして修訂版というのが出ますね。昭和十六年でしたか。

松井　十四年から十六年ですね。

倉島　これは増補版に先立って修訂版が出たというのは、何か印象がありましょうかね。

松井　結局、修訂版を出して、それに増補をくっつけようということだったと思うんですけれどもね。ところが、増補が戦争の影響でつけられなくなっちゃったんで、修訂版だけになっちゃったということじゃないかという気がするんですが、その修訂版もどのぐらい違うかというのは、比べると、あまり違わないんですね、これもまた。

倉島　まあ、新書斎で、本格的にお父様が辞書にかかわられるわけですけれども、まだそのときはお勤めをなさっていたわけですか。

松井　これがまた、ちょっと微妙なところでしてね。世界教育会議というのが昭和十二年ごろに日本で開かれまして、その幹事かなんかをやっていたんです。ところが、それは数年限定の仕事だったと思うんです。だから、定職はそのころはそれだったんじゃないかと思うんですね。それが終わって、仕事がなくなったからというのも変ですけれども、その忙しさがなくなったんで、『中辞典』にかかりっきりになったんじゃないかと思います。

倉島　わかりました。関口駒井町で、三代が一緒にお住まいだったわけですけれども、強制疎開ということになっちゃうんですよね。

松井　昭和十九年ですね。

倉島　昭和十九年ですか。それで、簡治先生とお父様は別々のお住まいになりますね。

松井　そうです。結局、私の父は、私の母の実家が持っていた貸家、そこしか場所がなくて、そこに移っていったわけです。そこは狭いものですから、祖父祖母ともに住むというわけにはいかなくて、それで祖父母は三女の嫁ぎ先の岡という家が、軍人だったんです、父親が。それで、戦地に行ってましたので、その三女と子供たちしかいなかったんですね。そこに一時移ったわけです。それが淀橋区、今の新宿区の高田馬場のそばです。

そこに移っていたんですが、空襲で焼夷弾が枕もとに落ちたんですね。不発の焼夷弾だったらしいんですけれども。それで、これはちょっと生命の危険もあるというんで、やっと東京を離れる決心をして、祖父母は孫娘の嫁ぎ先だった栃木県の足尾の社宅に移ったわけです。そこで終戦を迎えて、亡くなるまでいたわけですね。

倉島　亡くなられたのは終戦の年のお彼岸過ぎですね。それで、ご病気は何だったんですか。

松井　老衰ですよね。あのころ、まず栄養が不十分。足尾の町というのは、それはあまり大した食糧もないけれども、東京よりはよかったんだと思うんですけれども、それでもどうしても栄養は足りなくて、だんだん年も取っていましたから、自然に栄養失調的な状況になるわけですね。

それで、終戦のとき、大分興奮していたようですから、父の話によると。日本が負けたというんで、あのころは、ああいう年寄りはそれだけですごいショックだったんですよね。

倉島　劇的なのは、奥様とほとんど時間を前後して亡くなられた、というお話ですが。

松井　そうなんです。孫娘とその娘の母親がそっちに行っていたんです。それで、祖父母の世話をしていたんですけれども、夕方になって、「今日はちょっと先に寝る」と言って、祖母のほうが先に寝たんだそうですね。祖父は仕事をしていたんです。そうしたら、どうも何か変だというんで、「おばあさん」と呼び起こそうとしたら、もう生き返らなかったというか、死んでいた。それで、これはおばあさんが死んだということを祖父に伝えたらば、またショックじゃないかというんで、祖父に知らせないようにしていた。祖父は仕事をやって、その後、「寝るよ」と言って、寝て、翌日、様子を見に行ったら祖父も死んでいたと。

倉島　翌日の朝ですか。

松井　朝です。だから、夕方、祖母が死んで、翌朝、祖父が死んだというんです。

で、何かいろいろうわさが流れて、心中したんじゃないかとかね。そういうことも言われたようです。

倉島　非常に仲むつまじいご夫婦だったわけで。

松井　いや、そんなふうにも思わなかったな。（笑）

倉島　そうですか。夫婦養子という最初のお話を伺えば、この大往生まで八十年近く、ご一緒、かなり幼いときからご一緒だったと思うんですけれども、大往生をなさったわけですよね。

このときは、松井先生はお父さんと駆けつけられましたか。

松井　はい。私は高等学校は名古屋の第八高等学校ですから、東京にはいなくて、名古屋にいたんですが……あっ、そうじゃないんだ。昭和二十年で、だから、名古屋にいたんですけれども、あそこは空襲で学校も焼け、寮も焼け、私の入っていた寮は焼け残ったんですけれども、学校が焼けたんで、授業がなくなっちゃったんですよ。しばらく休校。それで、東京に帰って来ていたと思うんですね。

それで、知らせを聞いてすぐ、おやじと一緒に行ったんです。そのころですから、ちゃんとした客車に乗って行った記憶はありません。貨車です。

倉島　時代を画したお仕事をなさった大先生が、ご夫婦仲むつまじくといえば、それはそれでいいんですけれども、疎開先の足尾でひっそり亡くなられたというのは、何か時代を思わせますね。

松井　あっちでは、あまり亡くなった後の記憶というのがないんですが、どうもちゃんとした焼き場で焼いたんじゃないような気がしますね。薪かなんかを積んだりして、外で焼いたんじゃないかな。焼き場に行ったという記憶は全然ないですから。まあ、ああいうところだから、そんな設備はあまりないわけですからね。

倉島　私も子供のころは、そういう形の火葬でしたね。

松井　じゃ、当然、そうだったんですね。

倉島　簡治先生の死を伺ったところで、また重ねて、お父様の死を語っていただくことになりますけれども、驥さんは戦後、増補版を手がけながら、『中辞典』も企画なさっていたと。しかし、その間、縮刷版全一巻本を出すことも進められていたわけですね。

松井　いや、これはおやじがやっていたわけじゃないんですよ。そうじゃなくて、冨山房が、こういうのを出すといって、最初は『大言海』の縮刷が出て、それがわりに評判がよかったんで、『大日本国語辞典』も、ということだったんじゃないかと思います。

倉島　そうですか。その縮刷版の全一巻でお父様はあとがきをお書きになって、これが私どもが公に知ることのできる唯一の記録で、それで『大日本』の歴史、あるいは増補作業なんかも知ることができるんですけれども、非常に不運なことに、その翌年、お父様も亡くなられちゃうんですね。

松井　そうなんですよね。それは全然、死ぬとは思ってませんでした。元気でしたから。それはやっぱり、ストレスなのかな。衆議院特別行政監察委員会というところに勤めていました。

それで、私はあまりわからなかったんですけれども、議会に出て行って、いろいろな質問をされて答えたりするという必要もあったらしいんですね。そのストレスが大分あったようでして、実は昭和二十七年に胆囊炎を患って、手術したんですよ。胆囊を切ったんだと思うんですが、それが昔の国立第一病院と言ったかな。そこで手術したら非常にうまくいって、手術後、すぐ酒を飲めるようになったと言って、すごく喜んでいたんですよ。

酒が好きでしてね。戦後のカストリしょうちゅう（米・芋などから急造し、かすだけを除いた下等な密造酒。第二次大戦直後盛んに造られた）なんかも随分飲んでいた父ですから、毎晩、晩酌は欠かさずやっていましたし、母親と始終けんかしながら、飲んでいたんです。

倉島　篩治先生もお酒はお好きでしたよね。

松井　好きでした。ただ、祖父は一本といって、それだけなんです。おやじは、そういう点はわりあい制限なく飲みましたからね。外でも飲んできて、また家でも飲むとか、そういうことはよくやっていました。

ところが今度は勤め先で吐血したんですよ。十月ぐらいだったかと思うんですが、それで胃潰瘍だと言われた。このまま食べ物に注意して、安静にしていれば、それでも徐々に治るだろうけれども、手術すれば、またすぐ酒が飲めるんじゃないかと思ったらしいんですね。それで胆嚢炎で手術がうまくいったんで、またその先生にやってもらえるというんで、非常に安心して手術と自分で決めちゃって、それで手術したらばうまくいかなくて、食べ物が通らなくなっちゃったんです。これは再手術したらば危ないからというんで、再手術は見送られ、結局十二月に亡くなりました。

手術する前は、病院から銭湯にも行っていたんですよ。だから、手術なんかしないで、酒をやめ、食べ物に注意していれば、多分、もう少し生きたと思うんですね。それまでほとんど病気をしなかった父親ですからね。それなのに酒が飲みたい一心で、ああいうことをやっちゃったから、いけなかったんですね。

倉島　三代で、おじい様と栄一先生は、酒の飲み方も非常に控え目でいらしてお上手なんですけれども。

松井　いや、控え目というか、あまり飲めないんですよね。途中で嫌になるから飲まないんですけれども。

倉島　亡くなられたのは五十九ぐらいですか。

松井　そうです。五十九です。

倉島　そのとき、松井先生は、どんなことを。

松井　卒業して三年目ぐらいで、ちょうど高等学校の教師をやっていたときですね。

倉島　で、「辞書の家」には増補カードが残されるわけです。その内容は、冨山房が出している予告によれば、七万語で、二巻分あったとあるんですけれども、この増補カードの性格は、どんなふうに。

松井　全然わからなかった。おやじがそんなに早く死ぬとは思わなかったからね。だから、聞いておく機会が何もなかったわけですよ。

倉島　じゃ、先生は、そのときはノータッチだったんですね。

松井　ノータッチです。だから、父親は毎晩——毎晩じゃないんだ。これもまた祖父と同じように、朝六時ぐらいに起きて、何かカードをとっているんですよ。夕方はとにかく七時ぐらいに飲んで、九時には寝ていましたね。朝早起きで、その間に二時間ぐらい仕事をする。それを毎日やっていました。

だから、増補カードをつくっていることは知っていたんです。だけれども、それが一体何だかね。残った増補カードやなんかの筆跡から見ると、父親はどうも記録類、『大日本史料』（東京大学史料編纂所編。明治三四年以来刊行中の史料集）とか、『大日本古文書』（わが国で最も規模の大きい古文書集。東京大学史料編纂所編。明治三四年以来刊行中）とか、ああいうのから少し語を拾っていたような感じですね。それからあとは、川柳とか、近世の何か俳諧関係とか、そういうものだったと思うんですよね。

それから、祖父の弟というのがいたんです。吉見というんですが。それがまた、何にも仕事を持ってない不思議な人で、全部、祖父の世話になっていたんです。夫婦で。それが週に一遍は、うちに必ず来ていました。夕方来ては、祖父と将棋をやって、それで勝ったとか負けたとか、二人とも下手の横好きだったようです。

で、その吉見というのが、これが近世の文献に興味が非常にあって、それでどうも近世関係のカードは、この人が、わりにつくっていたような感じですね。

倉島　見本を見ても、近世の資料がほとんどですね。

松井　そうですね。わりに多いですね。

倉島　増補カードの主流といいますか、もとになったのは、吉見さんが集められた近世文献と。それが冨山房の予告にあらわれたような気がするんですけれども、それにプラスして、お父様が集められた古文書とか『大日本史料』などが加わった増補カードが残されたと。こう見ていいわけですね。

松井　そうですね。その後、増補カードは少し内容を調べていただいたでしょう。アルバイトを世話してもらって。それによると、どうも八万枚ぐらいだったんじゃないかと思うんですが。だから、七万語と言いますけれども、言葉数は七万でも、カードの枚数は八万近かったのかもしれないと思いますね。

倉島　わかりました。この貴重な増補カードですけれども、松井先生はおいおい、これにタッチせざるを得なくなるわけですよね。それで当然、冨山房との交渉が出てくるんだろうと思うんだけれども、その辺のところを少し語っていただけますか。

松井　冨山房との関係は、まず芳賀定（芳賀矢一先生のご子息）さんが、一巻本の縮刷をつくるときは、あれは芳賀さんが全部、切り貼りやなんかをして、もとのやつを。それで一冊におさまるように。あれは一ページが六段になっていましたかね。とにかく、だから、四段だったのを六段に編成がえして、切り貼りして、あれは全部、芳賀さんがやったんですよね。

そういう関係で、そのときは冨山房と交渉がありましたが、その後は、どうも父親の話によると、冨山房は新しく何かをやるという気は当分ないようだと。実は戦争中も、増補カードや『中辞典』のカードというのは、講談社の地下に預かってもらっていたんです。

倉島　そうですか。

松井　やっぱり戦災で焼けたら困るというので、どこに持って行こうかというんで、講談社の地下と、樋口慶千代《ひぐちよしちよ》（大正〜昭和時代の国文学者）先生という方の東洋文庫（東京都文京区にある図書館・研究所）の一角かなんかに保管してもらったのかな。父親と一緒に引き取りに行った覚えがあるんですよ。そのとき、講談社じゃなくて、東洋文庫……樋口先生とお目にかかって、何かしたような覚えがあります。

それからもう一人、講談社の方にお目にかかったときに、僕も引っ張って行かれたような記憶があるんで、どうもその辺、あまりはっきりしないんですよね。いずれにしても、冨山房は関係ないんです。

倉島 そうすると、間に立った芳賀定さん、芳賀矢一先生のご令息ですけれども、芳賀定さんがいろいろ間で、栄一先生とのお話なんかも進められたわけですか。

松井 いや、私は芳賀さんとは、小学館のほうから話が来てからです。それまでは全然。

倉島 そうですか。僕は、簡治先生が芳賀矢一先生と学生時代からのお友達ですから、当然、芳賀定さんと栄一先生は交流があったのかと思っていたんですよ。

松井 いや、ないんですよ。

倉島 じゃ、小学館に話が移ったところで、栄一先生が呼ばれたというか。

松井 そうです。

倉島 そうすると、主体的に動いたのは芳賀さんですね。

松井 そうです。実は冨山房と話がちょっとあったのは、父が死んでから、どのぐらいたってからかな、一年か二年か、ちょっとそこがはっきりしないんですが、『中辞典』みたいなのを出したいという話があって、それで、うちに夏休みに日本女子大の学生に二人来てもらって、何か準備作業のアルバイトとしてやってもらったんですよ。それが、どうも『中辞典』の原稿について何かやってもらったのかなという気がするんですがね。

ところが、そうやってアルバイトをやってもらって、うちで費用を出した。そうしたら、冨山房の人の話がどうもこっちの考えとくいちがって。僕が怒っちゃったんですよ。
とにかく、非常に安易なやり方をして出したいような話だったと思うんですよ。それで、「それだったら出さないほうがいいんじゃないか」と言って、そうしたら、向こうも急に怒り出して、やめになりました。ということがちょっとあったんですが。
だから、それ以後、冨山房とはほとんど交渉なしです。

倉島 じゃ、芳賀さんの力というのは、『日本国語大辞典』の原点にありますね。

松井 そうなんです。昭和三十五年六月十五日に、小学館に呼ばれたんですよ。それで、小学館の方と集英社にいた鈴木省三（元集英社副社長）さんと芳賀さんの三人と私が会って話をしまして、そのときに、「おたくに増補カードがあるそうで」という話が出たんですね。何で、そんなことがわかるのかなと思ったら、東京新聞かなんかで、だれかが、そういうのがあるんで、これは利用しなきゃ、日本のためによくないんじゃないかということを書いていたので知ったというんです。

倉島 芳賀さんは、そうすると、そのときは小学館の嘱託になっていたんですね、もうね。

松井 そのころは、まだ白桃書房にいたのかもしれないんですけれども、この話で、私が、それならやっていただきたいと言ったんで、それから小学館に移られたのかもしれません。ちょっとそこの経緯は知りません。

倉島 芳賀さんは漢字をやるという使命を持っていらしたからね。漢字辞典を。芳賀さんがご存命ならいいんですけれども、残念ながら亡くなられちゃったから。
でも、伺えば、篇治先生の因縁がね。芳賀矢一さんとは心を割って、親しいおつき合いをなさっていたらしいんですけれども、栄一先生とは交流はなかったにしろ、芳賀定さんが、ここで『日国』の源に火をつけてくれたというのは因縁ですね。

松井 芳賀矢一先生は、祖父が国文・漢文両方を学んで、それでどっちにしようかといったときに、「漢文はもう古いから、国文にしろ」と言われた。祖父は、それでもなお迷っていて、最初に勤めるところで国文を教えてくれと言うか、漢文を教えてくれと言うかによって決めようと思って、学習院に行ったら、国文をやってくれと言われ、それで国文になったと言ってましたけれどもね。

倉島　なるほどね。じゃ、簡治先生の進路を決めた方がご令息を動かして、はるか後の『日国』の進路をも決めたようなものですね。

「日国」初版の編集作業

倉島　いよいよ『大日本国語辞典』から『日本国語大辞典』へなんですけれども、先ほどの話では、三十五年六月に最初の話し合いがあったようですけれども、その後、四、五人の方に準備委員会をつくっていただいて。

松井　それが三十六年八月十七日です。最初に中村通夫《なかむらみちお》先生、林大《はやしおおき》先生、三谷栄一《みたにえいいち》先生、山田巖《やまだいわお》先生ですね。

倉島　そうですね。で、松井先生がお入りになって五人ですね。その五人――私は準備委員会と言っていたんですけれども、その方々がいろいろ設計をしてくださって、正式に発足したのが昭和三十九年で、このときに編集顧問、編集委員を委嘱して、第一回の編集会議を開いたということでしたね。

松井　そうです。

倉島　そこまでの間に、小学館の先代の相賀徹夫《おおがてつお》（小学館の3代目社長）社長は、よく決断なさいましたね。

松井　そうですよね。ただ、最初は『大日本国語辞典』がもとにあるから、それに増補カードを加えて、まあ、ちょっと手直しすれば、という程度のお考えだったようなんですが。

倉島　うち割って言っちゃえば、冨山房が承知さえすれば、『大日本』の改訂版でもいいやぐらいのことはありましたね。だけれども、それはちょっと話は別になりましてね。

松井　それは、いつだったかな、「冨山房に行って話をしてくれ」と言われたんですよ。で、僕は行ったんです。そうしたら、冨山房側は「『大日本国語辞典』というのがあるのに、『大日本国語辞典』の改訂みたいなのは困るんじゃない？」と言うんですよ。「けれども、それとは別に大きいのをやるんなら、それはどうぞ、ご自由に」と。こういう話でしたね。ということは、大きいのは、あっちはやる気はないということでしたね。

倉島　当時の資料はみんな、『大日本国語辞典』の改訂版ということで、「大日本改」ということで私は扱ったことを覚えております。

第一回の顧問編集委員会が昭和三十九年一月八日でしたね。

で、その顧問委員のメンバーの中では金田一京助《きんだいちきょうすけ》先生が最長老で、たしか八十一歳だったと思うんですけれども、次に同じような年配の諸橋轍次先生が八十歳で、お二人とも矍鑠として出てくださいましたよね。

松井　そうですね。

倉島　たしか、金田一先生が最初に発声してくださったような気がしますけれどもね。

松井　あのときは、時枝誠記《ときえだもとき》（国語学者。国語教育の振興にも尽力）先生も見えましたよね。後から聞いた話だと、時枝先生は私の指導教官ですから、「松井は、ああいう大きな仕事に耐えられるだろうか」とほかの僕の同級生に漏らしたそうですから、大分心配してくださったようです。

倉島　それは、その席でも心配を、直接、先生のことではないんですけれども、辞書に対する心配を発言なさっていたのは、時枝先生でしたね。

当時、こう言うのも変ですけれども、小学館はまだこんなに大きくなってませんから、松井が大丈夫かという以上に、お店は大丈夫かと、僕はよく言われました。

で、松井先生は間もなく辞書に専念していただくために、教職をなげうっていただいたわけですけれども、大学のほうまでなげうって、この企画に身を投じてくださったわけですが、あれは何年ごろでしたか。

松井　あまりよく覚えてないんですよね。昭和四十二年ころですかね。ただ、その前後、数年間は向こうにもわがままを言い、こちらにもわがままを言いみたいな生活で、一日学校に出てあとは辞書というような時期もありましたし、逆に辞書のほうが二日で、あとは先生というふうな時期もありましたね。ああいう高等学校ですと、研究日というのは週一日なんですよ。それを週二日認めてもらうとか、わりに好意的に学校のほうも、「そういう仕事ならば、まあ、いいですよ」と言ったりしてくれて、こっちもそれに甘えました。

倉島　両方をかけ持ちというか、兼ねてらして、『日国』の資料集めでは松井先生が終始中心になられていたわけですけれども、大体、夜の会合で大変でしたね。

松井　夜はね。

倉島　集まってくださる方も大変なんだけれども、それぞれ十数人のいくつかの部会を毎月やったわけですから、あれはお疲れでしたでしょうね。

松井　そうですね。あれはどれにも大体出ていましたね。

倉島　そうなんですよ。全部、出ていただいた。全く、僕はあのとき、胃潰瘍になりましたけれども。

ちょっと話を進めますけれども、『日本国語大辞典』の執筆資料というのは、最終的には十数種類になりましたですね。それで、ＡＢＣＤとか記号をつけてやりまして、貼り込みカードをつくったわけですけれども、先ほど来の増補カードは、その中の一点にくり込まれていったわけですよね。ですから、材料の量からいうと、増補カードというのは、まあ、何％かということになったことですし、新しい資料収集の結果、何十倍という膨らんだ材料ができたわけですが、それにしても、その材料をつくるもとになったのは増補カードだったと思うんですよね。だから、原動力としての『大日本』の増補カードは非常に大きかったと思います。

その関連で言いますと、増補カード以上と言うと失礼になっちゃうんだけれども、『大日本』の存在は、これまた大きいんで、用例を採取するときに基準とさせてもらいましたですね。あの『大日本』が基準で、用例文を採集してくださるみなさんに『大日本』の一巻本をお渡しして、これを基準にしてとってくれとやったわけですけれども、あれがなかったら、相当むだがあったですね。

松井　そうかもしれませんね。

倉島　例えば『大日本』より古い例が見つかったら、「例新」とかやれとかというマークをつけてカード化していただいたわけですけれども、私は今でも、その恩恵というのは大きかったと思うんですね。

ＯＥＤの歴史を見てみますと、最初、言語学会でカードを集めるときに、ボランティアに、これを読んでくれと。そのときに、どういう基準でとるかという基準をつくったらしいんですね。ベーシス・オブ・コンパリジョンと書いてありますけれども、比較の根拠といいますか、これがないと、さて何をとっていいものやらですね。べたにとるわけにはいきませんから、語彙を採取するというのは基準が非常に大事なわけですよね。

だから、ＯＥＤでは、わざわざそれをつくったんですけれども、私どもは『大日本』を、そのかわりにしたというのは非常に大きかったと今でも感謝しております。

で、執筆資料が大方まとまったところで、立項作業になったんですけれども、これは先ほど松井先生が教職をなげうって加わってくださったところで、本格的な立項作業に入ったんです。昭和四十二年にですね。それまで、いろいろな人が試行錯誤したんだけれども、結局だめで、松井先生お一人で一年何カ月かで資料を区分していただいたわけですけれども、これはほんとうに膨大な、先ほどの十数種類の資料を全部、目を通されて、それで五、六十万ある項目から四十五万を選んでいただいた。これが一年数ヵ月というのは大変なことでしたね。

松井 そうですね。それは結局、どのぐらい全部で選ぶもとになる枚数があったのかというのは、あまりはっきりしませんけれども、多分、六十万ぐらいだったと思うんですね。その六十万の中から四十万選べと言われたんですね。というのは、でき上がりは四十五万だけれども、そのうちの五万は、百科項目とか、方言とか、そういうのがいろいろあるので、一般に選ぶというのは四十万だと。だから、六十万から四十万選ぶということでしたよね。

それで最初、一人でやるときに、一日にどれぐらいできるかというのでやってみると、大体千という数が出てきたんですよ。その千というのは、大体一日七時間やって、千項目を立項するということで、それで計算すると一項目二十五秒なんですよ。それでやると、一年間で二十二万できるから、二年かかれば四十四万を立項できると。単純計算でいくとね。

二十五秒というのは非常に大変なように思えますけれども、問題なく入れるというのがたくさんあるわけです。「ある」、これは入れる。「歩く」、これは入れると決まっているわけじゃないですか。そんなのは一秒もかからないわけですね。入れると決めるのはね。ところが、語によって、複合したりしている語だと、例えば「歩き続ける」になったらば、「歩く」は入れるけれども、「歩き続ける」まで入れるかというと、「歩き続ける」を入れたらば「〜続ける」は全部入れなきゃならなくなるとかですね。そういうので引っかかると時間がかかるわけですね。けれども、平均二十五秒というのは、それほど不可能な時間じゃなかったように思うんです。

倉島 そうですか。いや、この辺は、おじい様の設計の仕方、一日三十三語を思い出しますけれども、やっぱり緻密な計算をなさったんですね。

松井　だけれども、それをやらないとね。何か目標がないとやれないでしょう。

倉島　ここも簡治先生に気質が似ていらっしゃるじゃないかという気が、今、ちょっとしますね。

で、栄一先生には、動詞大項目を全部書いていただきました。あと、いろいろな品詞にわたって出てきている原稿を全部、目を通していただいたわけですけれども、最終的にはゲラと格闘していただいたのは大変でしたね。

松井　そうですね。あれが一番大変でしたよね。あのころ、大体、睡眠時間は五時間から六時間ぐらいでないと間に合わなかったですね。だから、あのころは土曜日も休まないでやれましたというか、そういう時代だったから。外からの協力者もいて、そう簡単に早く帰れませんし、大体、毎日九時ぐらいまでいて、それで家に帰ってからまたやって、時々は飲みに行かなきゃならないし、つき合いがありますからね。でも、飲みに行って、それで夜十二時ぐらいに帰って来ても、二時ぐらいまでやりましたよね。それをやらないと、ページ数が消化できませんでしたからね。

倉島　そうでしたね。考えて見てみますと、簡治先生は、先ほど、用意周到と申し上げたんですけれども、完成原稿ができてから入稿したわけですから、組に入ってからは、そんなに苦労はなさらなかったと思うんですよね。ところが、栄一先生と『日国』のかかわりで言うと、ゲラになってからの苦労が一番濃かったですね。

松井　そうなのかな……かもしれないですね。でも、祖父は、ゲラになって、井上ひさしさんなんかも書いているけれども、あれは何に書いてあるのかな、指が真っ赤だったと。赤で直すので。それで、トイレに入るときも持って入ったとか、何か井上さんは見たようなことを書いているんです(笑)。だから、祖父もゲラを見るのに時間は取っているように思いますけれどもね。

僕の場合は、期間的には、祖父は二十年、僕は二年ぐらいですから、そんな大したことはないんですが、ただ、日本大辞典刊行会というのをつくってやっていたじゃないですか。そこの社員と話していると、「松井さんが、こんな早い時間でやるのを引き受けたので、私たちは、もういっぱいいっぱいで辛いです」とかなんか訴えられる。こっちはわりあいに好きでやっているから、そんなに思わないんだけれども、そう言われると、じゃ、何か社長にでも一言、大変だということを言っておかなきゃいけないかというんで、社長に手紙を出したことがありましたしね。（笑）

倉島　いろいろありましたね。（笑）まあ、そのときのご苦労を語っていただければ、きりがないわけですけれども、ほとんど簡治先生と同じ苦労をなさっていただいたと私は思います。

100年の継続…「日国」第二版へ

倉島　『日本国語大辞典』第二版の最初の編集委員会は平成二年にスタートしました。やがて社長となる相賀《おおが》昌宏《まさひろ》（小学館の4代目社長）氏も出席されて、そのときに、新鋭の現在の編集委員の方に集まっていただいたわけですけれども、当然のように松井先生には、その中心の編集委員としておさまっていただいたわけです。そのとき、初版にひき続いて、林大先生に加わっていただいて、お二人が前の編集委員会を継承して、今度の改訂編集委員とともに、第二版の編集を本格的に進めていただくことになったわけです。

私が『大日本』から『日本国語大辞典』に流れる中で、一つ、どうしても語っておきたいのは、漢籍例のことなんです。漢籍例というのは、簡治先生がいろいろ勉強なさって、国文だけじゃなくて、さっき英文ということもありましたけれども、ドイツ語もおやりになったかもしれませんが、漢籍にも非常に詳しかったですね。『大日本国語辞典』の中に漢籍例が入ったというのは、やっぱり簡治先生の幅広い教養があってはじめて実現したことだと思うんですね。その貴重な要素というのは、『日本国語大辞典』も受け継ぎまして、それで漢籍にあるかないかというチェックをしました。これも『大日本』があればのことでした。

そして、それは第二版でもやっぱり増補しましたですよね。この漢籍例を脈々と流れるもとを言えば、『大日本』の漢籍例であり、簡治先生の漢籍の素養だろうと思うんですね。この一点からしても、『大日本』の恩恵というのは大きかったと私はつくづく思うわけです。で、最初に『大日本国語』あっての『日本国語』であり、また、その第二版であるということを申し上げたわけです。

この道のりをちょっと振り返って、何かご感想がありましたらお願いします。

松井　ちょっと一つ、心残りなのは、私の祖父が生きている間、ちょうど戦争末期になるわけですが、私は高等学校の理科に行っていたわけです。理科の二年になって終戦になって、それで文科に変わったわけですね。

理科に行ったのは、父親が、理科は徴兵が延長されるから、さしあたり理科に行っておいたほうがいいぞと。そのほうが生きる可能性があるということだったと思うんですが、そうあからさまには言いませんでしたけれども。それで、僕はもともと文科に行きたかったんですけれども、やむを得ず、理科に行ったわけですね。

それで、祖父が足尾に疎開していて、父の姉に漏らしたところによると、「孫の中で、自分の跡を継いでやってくれそうなのはいないんだね」というふうに寂しそうに語っていたということを後で聞きまして、いや、それならもうちょっと早くね。だって、戦後、理科から文科に転科したのは、祖父が亡くなった次の年なんですよ。だから、文科に変わったということでもわかってもらったり、あるいはできれば、その後、大学の国文に入ったというのを知ってから死んでもらいたかったなと、ちょっと思いますね。それが一番心残りですね。まあ、結果的に跡を継いだんですけれども、生きている間に、よかったなと思われなかったのが残念だという気がどうもしますね。

倉島　欲張っていえば、『日国』が始まるところもね。

松井　ちょっと、そこまでは無理でしょうけれどもね。

倉島　それで、簡治先生が着手されたのが明治二十五年でしたけれども、それから長い道のりをたどってきて、『大日本』の増補、それから『日本国語大辞典』、その第二版と来るわけですけれども、これは今日までトータルすると百十年になんなんとするんですね。よく外国の辞書は長い時間をかけていて、おまえたちのは拙速だということを言われまして、私は非常に残念に思ったことがあるんですけれども、今日、こうして道のりを計算してみますと、OEDは着手して、第二版ということでいえば、百三十年なんですね。『日本国語大辞典』も、『大日本』の着手からいうと百十年ということで、まあ、おっつかつじゃないかと言ってみたい気がするんですけれどもね。

まあ、それぞれの事情があって、間があいたりして、それはOEDだって、うんと間があいているわけですからね。向こうだって戦争があったりしましたから、間があいているわけですけれども、『大日本』から『日国』へ移る間もあいていますから、あまり数字だけを言っても意味がないかと思うんですけれども、百十年と百三十年というのを、ちょっと私は改めて認識したわけです。

さて、第二版ですが、成立年が入ることになって非常によかったと思うんです。それではっきりしたことは、『日本国語大辞典』の場合は、『記紀』『万葉』から現代までですから、七世紀か八世紀からということですけれども、ＯＥＤは、ミドル・イングリッシュからですから、一一五〇年ということになっていますよね。だから、日本でいえばおおざっぱには八代集では『詞花集』、院政期以後ですか。その文献しか、向こうは入れられないという事情もあるわけですけれども、それにしても、年代を入れた紙面を見ると、『日国』のにぎやかさね。ＯＥＤに比べると非常ににぎやかですね。ＯＥＤは、とにかく一二〇〇年以降ぐらいしかないわけですから。それ以前は『日国』は、それ以降と同じぐらいの量がありますから、その点でもＯＥＤと比較して、今回、私は非常に認識を新たにしたことがありまして、それぞれ日・英語の歴史的な背景を無視しているようですけれども、出典の豊富さというのは『日国』にとっては非常な財産じゃないかと思うんですね。

最後になりましたけれども、書名のことですが、『日本国語大辞典』が出たときの批判の中に、雅馴《がじゅん》ならざる命名だというのがありまして、そのときに私は、『大日本』から『日本国語大辞典』というのは非常に素直につながったと思ってたんですけれども、なるほど、そういう批判もあるかなと……。松井先生は、どう思われていますか。

松井　雅馴ならざると山田忠雄《やまだただお》（国語学者。国語辞典の歴史を研究）さんが言われたのは、『言海』とか、『辞苑』とか、要するに何々国語辞典というんじゃない名前をつけるほうがいいということなんだと思うんですけれどもね。それは適当なのがあればいいんですが、そういうのがだんだんほうぼうで使われちゃって、残るのが非常に少ないんじゃないでしょうかね。だから、そういうのを雅馴ならざると言われても困るし、日本の国語大辞典という意味で言うならば、非常にそれはそれですっきりしているんじゃないかと思うんですよね。今や『日国』で通りますから、非常にいいんじゃないでしょうか。

倉島　私も非常にいいと思っておりまして、『大日本国語辞典』が『日本国語大辞典』になったのは自然だったし、それが継承されて、『日本国語大辞典』第二版も、雅馴ならざる書名で、ここに落ち着いたことを私は非常に喜んでおります。

その結果において、今日、『大日本』の着手以来百十年を語っていただくことができたと思うんですよね。ですから、書名の問題は非常に大きいんじゃないかと思います。

松井　そうですね。で、「日本語大辞典」という案もあったんでしょう。だけれども何となく「日本語辞典」というと、まだ、あの時期としては……。

倉島　そう。国語という言葉の力が強い時期でしたからね。

松井　そうですね。

倉島　今でも、そうかもしれません。

さて、『日本国語大辞典』の第二版が実現することになりまして大変うれしいことですが、これが第三版、第四版と続いていくことを願ってやまないわけです。ついては、松井先生にはずっとお元気でいらして、第三版ぐらいまでは面倒を見ていただきたいと思っておりますので、どうぞよろしくお願いいたします。

松井　それは神のみぞ知るということで。（笑）

倉島　どうもありがとうございました。

〈二〇〇〇年八月〉

▲1976年、初版完結時の編集委員会

『日本国語大辞典』の編纂とその意義

［初版刊行時座談会］

初出：一九七二年一一月【国語展望】

見坊豪紀（初版編集委員・国語学者）
けんぼう・ひでとし　1914年生まれ。東京帝国大学卒。膨大な現代語の用例採集を行い、『三省堂国語辞典』の編纂に活用した。著書に『ことばのくずかご』など。

林　大（初版編集委員・国語学者）
はやし・おおき　1913年生まれ。東京帝国大学卒。元国立国語研究所所長。同名誉所員。

松井栄一（初版編集委員・国語学者）
まつい・しげかず　1926年生まれ。東京大学卒。元東京成徳大学教授。著書に『国語辞典にない言葉』など。

山田　巖（初版編集委員・国語学者）
やまだ・いわお　1910年生まれ。東京帝国大学卒。駒沢大学名誉教授。著書に『平中物語　本文と索引』『院政期言語の研究』など。

司会◎**倉島長正**
（『日本国語大辞典』初版編集長）

大辞典の条件

倉島　話の枕なんかに、よくことばを引いてその定義を述べたりすることがありますけれども、そういうときにしばしば辞書が引かれますね。実際昼寝の枕にもなるような大きな辞書など、引合いに出される辞書というのは、決まっているように思うのですけれども、そういう大辞典といいますか、大型の辞書の性格ないしは、大辞典たるべき属性みたいなものは、どんなものかというようなことから話を出していただけませんでしょうか。

林　辞書というものはなにをするものか、ということからはじまるんでしょうな。学習辞典もあれば、それから卓上の小辞典もあれば、それから中辞典もあるし、大辞典もあるんだけど、下のほうから片づけていけば、けっきょく、字の形を見たり、それから意味を見当つければいいんでしょう。中辞典までは、だいたいそういうものじゃないんですかね。

見坊　辞書の規模が大きくなるにつれて、そういう実用性というものはむしろ希薄になって、それ以外の科学的な性格というものが強くなってくると思うのですよね。だから、大型の辞書というのは、そういうふうな意味で非常に科学的な方針で編集されていなければいけないんじゃないかと思います。それで、大型の辞書というと、すぐわれわれは、たとえばウェブスターの大辞典とか、あるいはイギリスのオックスフォードの大辞典とか、そんなふうなものを考えるわけです。それから最近フランスから、フランス語大辞典……

林　あれ、出たですか。

見坊　ええ、出ました。なにかコンピュータを使って編集した、ものすごく大きな辞書もできてますけれども、みんな非常にはっきりした方針があって、その方針に基づいて統一的に編集されていると思うのですね。大辞典というものは、いちおう見かけのうえでは冊数が多いとか、それからページ数が非常に膨大であるとかいうふうなことであらわれてきますけれども、基本的には、非常に科学的な方針のもとに、一貫して編集したものだということが言えると思いますね。

倉島　科学的方針というものの具体的なあらわれということになりますと、どういうことですか。

見坊　それはけっきょく、辞書というものは、実際に使われたことばの記録だろうと思うのです。そこが、小型のインチキな辞書になりますと、実際に使われたことばじゃなくて、前の辞書にこうあったから、うちの辞書でもこうしましたとかいうふうな傾向が、非常に強いと思うのですよ。しかし、辞書のもっとも基本的な性格は、現実にだれかが使ったことばを記録するというところから出発しなくちゃいけないと思いますので、編集の前に、まず用例の徹底的な採集ということがないといけないと思うのです。だから、これを徹底的にやろうというのが、最近の辞書の世界的な傾向だと思うのですけれども、そのために電子計算機を使って、用例採集をやったりしているわけです。とにかく用例の採集を徹底的に、広範にやって、そこから意味を帰納して、そうして辞書という形にまとめなくちゃいけないと、これが大辞典と呼ばれるためにいちばん大事な性格だと思います。

林　作る側から言って、見坊さんのお話はそうなんですけれども、利用する側から言っては、さっき字を引く、それから意味をざっと知るということを言ったわけですけれども、それに対して、たとえばそのことばがいつから用いられているのかとか、その意味が変ってこなかったかというような、意味を詳しくする、用法を詳しくしたい。だけどもそれは、中辞典では満たされないから、やはり大きい辞典がほしいということになる。

それからもうひとつは、いま見坊さんがおっしゃったような、辞書を作るために用例が必要だ、意味の記述を正確にするために用例を集めることが必要だということと同時に、利用者の側にとっても用例を証拠に出してほしいわけです。だから、用例を伴った辞典ということは、どうしても中辞典とか、いわんや小辞典では満足できない。大辞典を引けば用例があって、しかもそれが時代的にいい用例が出してあるということが、辞書の利用者の側にとっては安心なことなんですよね。

見坊　ことばについての詮索をやって証拠をあげたくなるとすぐ、辞書にはこう書いてあるというふうなわけなんですが、その辞書にはこう書いてあるというときの証拠としての価値ですね、これは大辞典ほど大きくなるわけです。たとえば、諸橋轍次さんの大漢和辞典。あれは十三冊もあって、重たくて、僕なんかとても使いきれないんですけれども、漢字の字義について講釈しようと思うと、まず諸橋さんでしょうね。どうもやはり大きくなると、実際にも価値があるんでしょうけれども、とにかく大きいことはいいことだというわけで（笑）、大漢和を引いてくるわけです。

倉島　まあ記述されてる内容が、語義なり解説なりがそこでとどまらないで、さらに実際の用例があるということで、自分で確かめられるという安心感があるわけですね。大辞典の場合は。

林　それは、辞書編集者の責任があって、用例は非常に的確なものを引かなければいけないわけだけれども、僕はあれを孫引きにするようじゃ困るんでね。だから、あれは手がかりになるものだと思うんですよね。意味の記述にしても、用例にしても、利用者の手がかりになることができればいいんじゃないでしょうかね。ですから、一般の人にとってはそのことそのものが権威を持つわけですよ。

日本国語大辞典の編纂

松井　いまお二人がおっしゃったようなことに、今度の辞書は一歩でも近づこうということでやったわけです。ところが、やってみて感じることは、まずひとつには、最初に徹底的に用例を採集しようという話は、まあコンピュータを使って、全文献からパッと洗えればいいけれども、そこまではいかなかったわけでしょう。そうするとどうしても、拾ってくれる人の判断にまかせる部分が出てきて、その人が必要というか、とりたいということばを拾いあげるということになっちゃったわけですね。それによって作ったものというのは、それでしょうがないものなのかということと、それからフランスなんかでダーッとやったという場合に、膨大な材料が出てきちゃうわけね。その膨大な材料というのを、いったいどう処理したらいいか。だから今度の場合に、もっとものすごくたくさんの人を動員して、カードを作ったとしますね。そうしたら、今度原稿を作る人は、そのなかから選んで、それで意味やなんかの分類をきちんとして、用例を拾っていかなければならないわけね。それがはたして、あるひとつの項目を一人に頼んだときにできるものなのかという疑問を、今度の辞書を通じてずいぶん感じたんです。

見坊　今回の辞書がどうして出なくちゃいけなかったかということの必然性、あるいは必要性ということを、過去の辞典のあり方に即して考えますと、ご承知のとおり、大日本国語辞典とか、大言海とか、あるいは平凡社の大辞典とか、いろいろあったわけですよ。それぞれ権威があって、長く通用していたんだけれども、しかし、非常に編集が古いので、それ以後の新しいことばの状況がまったく反映されていないということが、ひとつ根本的にあったと思うのですけれども、それ以外に、方法論として、あすこに出ているような用例とか説明とかそういうものだけで、はたしていいんだろうかという基本的な問題が、ずっとあったと思うのですよ。だけど実際に、非常に編集に手間がかかるから、必要性は感じていたけれども、だれもやれなかったわけです。それを今回、人をたくさん動員して組織的にやればできるんだろうと、こういう見通しを立てて踏切ったところに、非常に大きな意味があると思うのですよね。そこでもって、用例もたくさん集めることができたし、したがって、いままでのどんな辞書にも出ていないような新しい見出しも、うんとふえた。それから意味に関しても、いままでのどんな辞書も知らなかった意味がたくさん追加になってるわけですよ。

それで、私が原稿を見ながら気がついたことを、一、二申し上げますと、需要、供給の供給ということばが出てるんですが、これの古い形が出てるんですよ。「ぐきゅう」と読ませるというんですね。

林　なんにですか。

見坊　それがまた、用例がたくさん載ってましてね。まず「今昔」がいちばん古いんです。「今昔」の次に、三巻本の「色葉字類抄」ね、それから「実隆公記」、易林本の節用集の御伽草子の「二十四孝」といった調子で、だから注意深い古典の読者にとっては、「ぐきゅう」ということばをどこかで見てるはずなんだけれども、たまたま大日本国語辞典とかそういうふうな偉い人の目を漏れたばっかりに、今回この辞書が、はじめてこれを知らせてくれるまでは、だれも気がつかなかった。しかもそれが、ひとつの古典じゃなくて、五つも六つもの重要な古典から、そういう用例がはっきりと示されている。こういうところに、先ほど私がちょっと言った科学的な方針といいますか、そういったものの一端があらわれていると思うわけです。そういうことが、非常にたくさんの人を動員してやったために、いままでもほんとうはここまでいっていなくちゃいけなかったんだけれども、それが実際問題としてやれなかったというところを、現実の問題としてはっきりと道を開いて、成果を一般の読者に示してくれたわけです。

司会　それから、現代語で言いますと、新聞の野球の記事を見ると、よく「球がすっぽ抜けた」なんてことを言ってますが、実はこの「すっぽ抜ける」ということばは、私自身のことばにないので、ぜんぜん知らなかったんです。野球の記事ではじめて覚えましてね、スポーツ用語には関西弁が多いから、関西のことばかなと漠然と思ってたんですが、これが久保田万太郎さんの「花冷え」という作品に、用例があがってるんです。「また幾らかせしめたと思って、いつもの伝にすっぽ抜けちゃだめだぜ」これは、よく読んでみると、野球のすっぽ抜けるとちょっと違うんですね。なにか、その席を抜けて、どこかへいってしまうようなことをしちゃいけない、というふうな意味らしいんですが、こういうのも私には、現代語からの用例という意味で、たいへん興味をひかれます。

山田　今度の大辞典が生まれなくちゃいけないというのは、いままでの辞典では不十分だというのを、皆さん認識しておられるわけですよね。ちょうど私が学生を終ったころかな、新村出先生が信濃教育会というところで、「日本辞書の現実と理想」という講演をなさったんだそうですよ。それが昭和八年でしたか。先ほど見坊さんのおっしゃったイギリスのＮＥＤ（オックスフォード大辞典）のことが、世界の辞書のいちばん模範的なものだということで紹介されて、ウェブスターの話も出てましてね。残念ながら日本の辞書は、まだそこまでいってない。あれに匹敵するものができるのは、五十年先くらいになりましょう、というようなことを言っておられるんですよ。ちょうど勘定してみると、五十年じゃないけれども、十年早く、四十年ですよね。そうでしょう、いま四十七年だから。

倉島　機が熟してたというわけですか……

山田　いわゆる日中国交と同じでね（笑）、機が熟してたと思うんですよ。それと、戦後ずいぶん、国語学が進歩したでしょう。それから新しい資料が発見された。そういういろんな条件がそろって、われわれの知らなかった資料なんて、どんどん複製されますしね。それともうひとつ、新制大学といいますか、大学がたくさんできちゃって、国語学専攻の人が、昔に比べてずっと多くなってるんですよ。今度の語彙採集に、そういう国語学を専攻した人が大勢おったけれども、昔はあれだけの人数は動員できなかったと思います。東大なんて、一人か二人しかいなかったんですね、国語のほうで。だから、そういう条件が熟しつつあったところへ、小学館で大がかりにやられたんで、今度の字引ができた。

組織的な編纂体制

倉島　出版社として、こういう大きい辞書を出すというのは、それなりに名誉なことだと思うのですけれども、最初企画が出たときに、小学館の相賀社長は、背筋がゾーッとしたというふうにおっしゃっています。出版人として過去のいろいろな失敗のケースもご存じだし、完成までのさまざまな困難を考えた上での決断はたいへんなことだったと思います。現に、だんだん、先生方に参画していただいて、企画の内容も規模も広がって、振返ってみますと、八十年計画なんて時代がありましたね、計算してみましたら。それじゃコンピュータを入れたらどうかというようなことで、かなり研究したこともありましたが、まだまだ実用的には無理でした。けっきょくはカード処理ということで、データの処理としては、従来のやり方ですね。そういうことに落着いたわけですけれども、その八十年計画が、山田先生のお話の人的な資源といいますか、大勢の協力者の動員と文献の開発というようなものが相まって、なんとか二十年計画ぐらいになるというようなことで、だんだん頑張ってきた。そのうちに松井先生が、職をなげうって加わってくださるとか、あるいは国語辞典に非常に興味を持っていて、自分も語彙カードを持っている、こういう辞書なら加わってみようというような方も出てきまして、そういう方々の参画を得て、どうにかここで一巻目を出すことができるようになったんだと思います。

見坊　着手してから、何年かかってますか。

倉島　本格的に動き出したのは昭和三十五、六年からです。

見坊　十余年ですね。非常に早いですね。早いだけに、少しは漏れがあったかもしれないけれども、しかし事業というのは実現することがいちばん大事ですよね。長くかかればいいというものじゃ、必ずしもないと思うのですよ。共同でやると、まずなかなかできないというのが常識なのに、今回はそれができた……。

倉島　上代中古とか、中世とか、近世とか大きく時代別に分けて、それぞれの分野の専門の勉強をなさってる方に加わっていただいて、それで語彙・用例を拾ったわけですから、かなりの程度のカードは収集できたんじゃないかというふうに思うのです。振返ってみますと、その時代別の部会がどんどん発展しまして、漢籍の部会であるとか、有職部会、記録部会、あるいは文法部会というように、十以上の部会ができまして、それぞれ二十人から三十人の方に加わっていただきましたので、おそらくこの用例を集める過程で、実際に判断をしながら、例をとるという作業に携ってくださった方が、だいたい三百人はいらっしゃるわけです。それぞれお一人ずつ、助手を抱えてくださって、テキストに印したのを短冊形のカードにするという作業をしたわけですね。これが、だいたい八年ぐらいかかっております。今度の辞書の中心になる、言ってみればいちばんの財産なわけです。

山田　明治から大正の大きい辞書というのは、大日本国語辞典は、松井簡治先生の独自の識見といいますか、言海は大槻文彦先生というような、非常に個人の特色のある辞書ですよね。それは非常にいいことですが、限界があるので大辞典となると、人がたくさん参加しなくちゃできない、見坊さんがおっしゃったように。

資料集めとカード作成

倉島　今度の場合、特別部会なり十いくつかの部会で集めた用例カードが、作業の過程でDカードというふうに称していたわけですけれども、そのDと名前がつきますのは、AからNまで九種類、執筆のための資料を用意したうちの一つというわけです。その資料のために、大きさも違うし、印刷の中身も違う三十種類くらいの基礎カードを用いています。それから大日本国語辞典をはじめ、先行する辞書の参考資料を貼りこむと。

林 一覧表ですね。

倉島 その一覧表を作るために、足掛け四年かかっています。休みをねらって学生さんを三クラスぐらい動員してやったわけです。

見坊 四年間でやったというのは、スピードが早いですね。

松井 今度の場合は、見出しが歴史的仮名づかいで配列してある辞書と、現代仮名づかいで配列してあるものと、それから発音式で配列してあるものと、だから同じ紙に同じことを貼らなきゃならないですね。そうすると、順番を変えなきゃならないわけです。それが非常にたいへんだったです。

林 あれは大事業なんですよ、貼りこみは。計画的にいろいろ工夫してやったですね。

山田 四年では早い。それは用例を実際にとるときに、いっしょに並行してやったの。

倉島 並行してやっておりました。

見坊 あれは財産ですよね。貼りこんだということね。大きい資料になってる。

倉島 それから、注釈書の頭注とか脚注のたぐいを貼りこんだのも、大きい資料になってるわけです……

見坊 それは別のカードに貼ってあるわけですか。

倉島 ええ、別なカードです。最初、小さいカードに貼りまして、それを語毎に大きな台紙に貼っていくという作業をしたわけです。あるいは個人全集、西鶴全集とか漱石・鷗外なんかもやりましたね。そういう注釈書のたぐいを貼りこんだのも、さっきのAからNまでに配置したわけです。あと、参照文献カードというのがあります。これは、松井先生の勤めていらっしゃった武蔵学園の先生方にご苦労いただいたわけですけれども、これも五、六年かかってますね。

松井　参照文献カードは国会図書館に通ったんです、みんなで。それで、実際にはなかなか生かされなかったんですが、大学の紀要類を、あすこにある限りのものを引張り出して、解釈や用例の参考になるのをみんな書きだしまして、カードにしたんです。

倉島　資料集めの段階から国語、国文学の世界ばかりでなくて、歴史とか仏教とかの分野の方にも参画していただきましたので、そういう分野での読みについていろんな面白いことがありましたですね。つき合わせてみると、実は同じことばなんだけれども、歴史のほうではこう読んでるとか、あるいはどちらかが間違っていたとか……

あと、資料で言いますと、索引チェックというのがありまして、編集の過程で次々に索引類が出ましてね、それを追っかけるのに苦労しました。

松井　それから台紙になる前、同じことばであるのか違うことばであるのかという判別をする作業というのは、これまたずいぶん長く、これは先生をだいぶ呼んできて、社に詰めていただいて、それでカードを合わせ、貼った台紙を合わせるという作業、これはたいへんだったですね。

林　それで、いまの索引やなんかができたとかいうことも、われわれやってる間にどんどん発展した仕事でしょう。それと同様に、もうひとつ、資料のほうね。用例を採集する資料そのものも、最初のうちは活版本ぐらいでやってたものが、だんだんだんだんいい資料が複製されたり、またいい資料が発見されたりということがあったわけでしょう。だいたい岩波の「古典大系」だって、あれが中途でできたから、われわれに非常に影響を与えたし、あれで振り回されたところもあるわけですよ。

松井　現代部会で、はじめは明治二十年で切ろうと言ってたんですね。それが、明治の末までにしようといって、大正にしようといって、文庫本をある程度拾って、それで戦後までいっちゃった。

山田　なんぼぐらいあるんですか、見出しを拾ったのは。

日本国語大辞典の見出し

倉島　同じ見出しとすべきものがいろいろなかたちであったりするのがありますから、かなり重複していましたが、まあ材料として二百万くらいあったんだろうと思います。それを国語大辞典として、必要にしてかつ十分な見出しを選ぼうというと、どのくらいの数がいいかというような議論も、だいぶしていただいたわけですが、けっきょくその資料に即して、ある見識で選ぼうということで、この項目選定には、松井先生お一人であたっていただいたわけですけれども、だいぶ長い間ご苦労いただいたですね。

松井　そうですね、二年ですかね。

見坊　いちおう大ざっぱに言って、二百万がしぼられて、四十五万ですか。

松井　四十五万、そのくらいですね。

見坊　ずいぶん捨てたわけですね。

倉島　それは捨てたというんでなく、この見出しに統合しようという……

見坊　なんらかの形で生かすということ。

倉島　そういう操作をしながら、立項していただいたわけです。

山田　語形が変っていても、これと同じあれだというようなね……

松井　句のかたちで出てくるけれども、これは句の見出しで立てる必要はないだろう、これは、三つことばがついていれば、そのうちのひとつの材料として使えばいいだろうというので統合する、そういう形とか、それから読み方が、記録なんかですと漢字ですから、どう読むのかというのが、実ははっきりしないわけですね。二とおりにも読めるわけです。そうするとそれは、一方に統合しようという形ですね。統合するというのは、立項の段階では、どういう見出しでということは、ちょっと決められないんですけれども、要するにこれとこれは同じだから、調査のうえ、なにかひとつの見出しにまとめるべきであろうという統合の仕方ですね。

林 語形を決めるなんてのが、非常に問題だったわけですね。

松井 あとは、接辞がついたりしている形とか、それから複合している形を、いったいどの程度統合し、どの程度引き離すか、それによって語数が変ってきますからね。

林 だから、「お」のつくことばなんて、みんなあげたらたいへんなことになっちゃうけど、そのなかからあげておくべき「お」のつくことばを選ぶのが、たいへんだったんですよね。「恐れ入谷の鬼子母神」なんて、どういうふうになっちゃうの。

松井 それは見出しに立ってるんじゃないですか。「有難山のホトトギス」とか、そういうある程度使われていたようなのは、やはり見出しとして立てています。ただ、それこそ「有難山」という見出しでやったかどうか……そうすると、「有難山のホトトギス」以外に、「ホトトギス」のところが、いろいろに変るのが出てきたりすることはあるんですね。そういうのは子見出しになりますので、ある程度統合して、こんなふうに「ホトトギス」のところが変った表現もあるということで、一項目にする。

倉島 この項目を選ぶということに関連して、いわゆる百科語彙というか、専門用語あるいは固有名詞を入れるかどうかということを、国語大辞典として、かなり議論をしていただいたところでしたね。けっきょく、かなり入れることになりましたけど。

正確な用例を収録

林　そこで、辞書の標準性と記録性という問題が出てくるんですね。今度の場合でも、標準的な書き方、表記を示す必要があるかどうかという議論もして、けっきょくはその点では、標準表記なんていうものは、強いて取上げないことにしたわけですよね。客観的な歴史的な表記のことだけは触れてるが、こう書かないと検定に通りませんなんてことは書かない。

倉島　記録性というお話が出ましたが、資料をもとにして大勢の方に書いていただきましたから、こちらの趣旨を徹底させるために執筆要領をいろいろ作りまして、それで書いてもらったわけですが、なかなか統一できませんでした。だいだい執筆にフルにといいますか、継続して参加していただいた方が三百人くらいで、あと数語、数十語というように書いていただいた方を入れると、五、六百人ということになると思います。しかし、大勢だからこそできたということはもちろんありますし、いろんな要素が入って、それで教えられるということもあったんじゃないかと思いますね。執筆の段階は、とにかく編集でかけずり回って、執筆要領をうまくのみこんで書いてください、資料をじゅうぶん生かしてくださいということでやったのですが、じゅうぶん用例を読みこんで採用していただくということが、テキストをお持ちでない方なんかありまして、なかなかできなかった。けっきょくあとの作業としては、用例を原文にあたりなおしたり項目間の調整をするという作業が、大きく出てきましたですね。出典検討とか内容調整というふうに称したわけですけれども……

山田　私の今度の印象でいちばん――いちばんと言っちゃ悪いけれども、ひとつの特色として、出典が詳しくなってるのが、非常にあれですよね。すぐ原本にあてられて、見当がつくということね。

見坊　今回は作者の名も出ているし、相対的に非常に詳しいですね。

倉島　作者名は、編纂形態の歌とか俳諧などは、みんな用例の末尾に差しこみましたし、それから近代作品については全部、作者名を入れました。山田先生のおっしゃった、出典を詳しく示すということが例文を正確にということとあいまって意外に――いや当然かもしれないんですが、ものすごく時間がかかりましたね。一例あたるのに二十分、三十分というようなことですので、一語の用例を検討し直すのに、多い場合、数時間かかっちゃうということもしばしばです。

山田　現代の作品でも、「竹沢先生という人」なんて、ちゃんと出ているもんだから、割合い短いんですよね。ああ、ここにあるなというふうに、すぐ……。割合い原本というのか、作品についてあたって、用例がすぐ出ますね。あれ、いままでのなにじゃだめですよ。どこにあるのかさっぱりわからない。その点は、ほぼ理想どおりいってるんじゃないかと思いますけれどもね。

松井　用例の見出しにあたる部分は、もとにした本に忠実に、というやり方をしたために、ルビがついてるものは、きちっとそのルビを入れるということになったでしょう。そうすると、いままでの辞書というのは、そこの見出し部分が、ほんとうに原本にどのくらい忠実に書いてあるのかというのがわからないんですね。適当に漢字に直してあったり、それから小さい辞書だと、棒が引いてあって略されてますね。それが今度のは、原本に忠実になってるから、非常に資料としてもいいんじゃないか、そういう特徴がありますね。

見坊　原文の形態が、忠実に再現されてるということですね。

さまざまな情報を収める

見坊　今度の辞書の特色は、非常に多いと思いますけれども、私の興味で申し上げれば、語源説ですね、これは実にいいです。最初の話では、なにかあのなかから妥当なものを選ぶなんていう話も、ちょっと出たんですけれども……

倉島　ええ、見坊先生にやっていただこうということだったんですけれども……（笑）

見坊　しかし私なんか、読者の立場から言うと、「名語記」ではこんなことを言ってるとか、だれはこう言ってるとかいうふうなことのエッセンスがあすこでわかるということは、非常に興味がありますね。たいていたくさんの説があれば、どれか一つが正しくて、あとはみんなだめなんでしょうけれども、だめなものでもだめなものなりに、考え方の筋道とかなんかがわかって、そのことばに対する反省の仕方とか角度とかそういうふうなものがわかって、あれは非常によかったと思いますね。

倉島　典拠を入れたのがよかったですね。

見坊　そうです、そうです。ことに最近の学者の説まで引いてありますわね。だれそれさんのなんという論だとか、そんなのまであるから、なかなかよく見てるなと思って、感心してますけれども。

倉島　かなり牽強付会なのが入っているわけですけれども……

山田　それはそれでいいんです。

倉島　特色で言いますと、発音をこういう辞書に入れていただいた……

見坊　あれは進歩ですね。一大進歩です。しかも、東京のアクセントと京都のアクセントと両方出してるところが……

山田　まあはじめてじゃないけれども、かなり詳密で、しかも歴史的なものをなにしてる。

見坊　発音の歴史、アクセントの歴史まで出したのは、今度の辞書がはじめてでしょう。

倉島　方言も、大辞典なんか別個にあげてるわけですけれども、今度一般語と合わせるということをやりましたね。かなり最初、冒険だという感じがしましたし、委員会でも議論になったわけですけれども、あれは結果的に見て、よかったんじゃないでしょうか。

松井 関連が非常にわかるのがありますからね。

見坊 方言で思い出しましたが、私の知っている東京育ちのご婦人が、「あまめ」ということばを使うんですよ。こたつなんかに長くあたって、炭火にあぶられると、足にあまめができるというんですが、僕は知らないんです、あまめなんて。それ、なんだと言ったら、これこれこういうことだと。私だったら、火だこと言うんですよね。それで、どうも私の勘では、方言なんですよね。それで、そちらの編集部に、私電話をかけて、あまめということばについて、どういうふうに書いてあるかということを質問したら、非常に詳しく教えていただきましてね。その意味から、あまめということばの使用地域の分布、そういうふうなものまで、方言辞典よりも詳しく書いてあって、僕は驚いたことがありましたが、それで疑問がわかったんですけれども、なんかそのご婦人のお母さんが、九州で育った関係で、九州弁が断片的に入ってきたんですね。そういうことがわかりまして、非常に役に立つ辞書だなと思ったことがあります。

読んで楽しめる辞書

倉島 この辺で、辞書を作った側として、どんな利用をしてほしいかというようなことを、少しお話しいただきたいと思いますが。

見坊 ある英語学者が、こういうことを言ってるんですよ。エンジェルというのは天使ですね。エンジェルということばを大学の教室で取り扱うんだったら、また文学作品にその単語が出てきてるとして、ざっとした訳を与えたら、その次には、まずエンジェルについて三十分か一時間講釈しなくちゃいけない。つまり、エンジェルということばは、元来語源が何語であって、それがいつごろイギリスに輸入されて、それから十世紀ごろの語形はこうであって、十一世紀には語形がこう変ってとかいうふうなことを長々と弁じて、それから意味の変遷についても、いちいち用例をあげながら学生を煙に巻かなくちゃ、大学におけるエンジェルの講義にはならない。おれはそれをやってるんだが、タネを明かすと、実はOEDのスペリングのところをずっとまずといて、それから語源というところをといて、意味を一番から二番、三番というふうに、順番に受け売りをしてるだけなんだけれども、それで優に三十分か一時間しゃべれる。といったことが、今度の大辞典ではおそらくできるんじゃないかと。そんなふうに、非常に多方面にわたって、どんなふうにでも活用して煙に巻くことができる（笑）。

倉島　まあ教場ばかりでなくて、日常生活のなかでも豊富な話題の種になりますね。

見坊　たとえばさっきの「すっぽ抜け」なんてことばが出たら、近ごろ野球で「すっぽ抜け」なんて使ってるけど、久保田万太郎だって使ってるからなあ、なんて、こういうことを言うと、ものすごく高尚になるわけですよ（笑）。

山田　学があるということね。

林　ひとつは、僕、さっきの標準性の問題なんだけれども、解釈そのものに標準性を持たせたかったですよね。それで、それはある程度、みんなで努力しましたよね。だから、神さまから見れば完全じゃないかもしれないけれども、意味の説明にしても、これはやはり、信用してもらえるものが多いと言えるんじゃないかと思うんです。

倉島　用例から客観的に帰納するということもひとつなんですけれども、ほとんど三分の一にあたるくらいを、各分野の専門家の方に目を通していただくという努力をしておりますから、現在の学界のレベルを、だいたい吸収できたんじゃないかというふうに思ってます。

松井　僕が感じるのは、普通の辞書というのは、表記を見たり意味を見たりということで終りになるのが多いわけですね。それ以外の利用があまりできないのが、従来の辞書だったわけです。今度のは、できるだけ用例を見て、それからそのあとに、いろいろ付属しているものがいっぱいあるわけね。そういうものをチラチラながめるということが、非常にいいんじゃないかという気がするんです。そういうところまで見て、それでいろいろ評価してもらうということが、非常に望みたいことなわけです。

山田　それは非常な特色ですよね。記述が詳しいということね。芥川龍之介が、辞書を見るのが楽しみだとかなんとか言ったでしょう。そういう材料を、ズラッと並べてくれてるのが特色じゃないですか。ああ、こういう言い方があるんかな、というような表現もある。あれ、はじめてのものもあるんですよ。

見坊　一言で読者に要求するとすれば、最初の漢字の表記の部分とか意味の一番目の部分で満足するんじゃなくて、最後まで読んでいただきたい。そうして、一〇〇％そこに書いてある情報を活用していただきたい。それだけのことができるように、ちゃんと作ってあります、ということだと思います。

倉島　引くだけでなく、読んでいただく辞書……

林　今度の字引は、やはり一般の注意をひいて、大きい字引があるということを、みんな知りますよね。あれ、楽しみ読みでもなんでもいいから引いてもらうと、あすこにああいうふうに詳しく書いてあると、僕はいいかげんなことを言う素人がいなくなるだろうと思うんです。

将来の大辞典

倉島　この辞書はいろんな過程を踏んでますけれども、だいたい明治以来の編集形態から方法としてはそんなに転換してないわけです。しかし、考えてみると、こういった編集形態とか、活字一本一本を拾うという印刷の形態による、いわば手づくりの大辞典は、あるいは、これが最後になるかもしれません。

　さきほど新村先生の予言が話題になりましたけれども、この次に出る大辞典は、いつごろ……

見坊　おたくなんかがやれば、あと四十年ぐらいで、もっとでかいやつを出すでしょう。これが委員会組織とかお役所の予算だったら、百五十年先だろうと。

林　まあしかし、今度のやつは、二十世紀最大の字引と言っといていいんじゃないかな。次は二十一世紀になるんじゃないかしら。

見坊　これは絶対ですよ。

山田　やはり、補遺がほしいね。

林　それそれ、そのことね。これを出したら、それきりじゃ困るので、やはり増補なり補正なりそこを、本文見てる人が補巻を見るとは限らないけれども、出していく責任は、われわれ考えなきゃいけないですね。

倉島　そうですね。補遺を出しながら、二十一世紀の大辞典を、また手がけなければいけない義務がありそうですね。

山田　それから最後に、これがいちおう四年先ですか、完成したときに、やはり読者の参加というのかな、いろいろ注意とかなんとか歓迎するあれとか、よりよい用例をもらうとか……オックスフォードだってやってるんだからね。それを、今度の増補の一巻に盛り込む。読者の参加というやつ。

林　しかし僕は、読者というよりも先に、こういう名誉ある参加を、非常に誇りにするものである、というわけ。

倉島　どうもありがとうございました。

〈一九七二年一一月〉

ニッポン書物遺産『日本国語大辞典』
［松井栄一×佐藤宏クロストーク］

初出：二〇〇九年一〇月【ジャパンナレッジ】

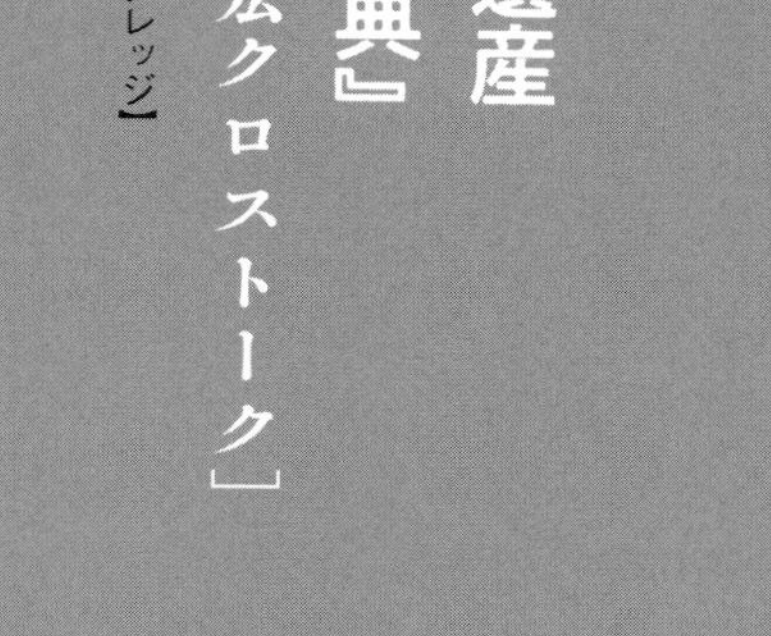

クロストーク 世界に誇る最高の国語辞典 日本国語大辞典

50万項目、用例総数100万を誇る、日本最大級の辞典『日本国語大辞典』、通称『日国』だ。この辞典の第一版が構想されたのは、1961年のこと。第二版完結は2001年。現在、私たちが手に取っている、あるいはジャパンナレッジで検索している〈日国〉は、40年の長きにわたった編集の成果ともいえる。

では、日国とはどんな辞書なのだろうか。その誕生のいきさつと、今後とは? 編集委員・松井栄一さんと、第二版編集長の佐藤宏さんの、日国をめぐるクロストークをお届けする。

〈取材・執筆　角山祥道〉

日国の最大の特徴——用例をひも解く

佐藤「日国の第二版が完結してからも、じつは辞典作りは続いているんです。松井先生にも週二回、小学館にお出でいただいて、用例チェックなどをお願いしています」

松井「日国の最大の特徴は、実際の用例を添えているという点です。辞書には意味が示されていればそれでいい、という人もいますが、用例がなければその言葉の存在の根拠がなくなります。また、用例はその言葉がいつどのように使われていたか、という証拠にもなるんですね。私が現在行なっている作業は、主にこの用例集めと整理です。これをカードにしているのですが、まったく終わりのない作業でして(笑)」

では実際の用例を――試しに「辞典」という語を、ジャパンナレッジの、〈日本国語大辞典〉で検索してみよう。いわく《辞書［1］のやや新しい呼び方。明治以降、辞書名に用いられるようになって広まった。》

さらに用例を見てみると、最も古い例は、

※日本小辞典〔1878〕〈物集高見編〉序〈近藤真琴〉「文明諸国莫不有辞典」

明治初期に使われていたことがわかる。では「辞書」は？

※和蘭字彙〔1855～58〕「woordenboek 辞書」（注1）

と江戸末期までさかのぼることができる。さらに見ていくと「辞書」には《辞職するむねを書いて差し出す文書。辞表。じそ。》という意味もあったらしい。

用例をチェックすると、初出はなんと約1200年前にさかのぼる。

※続日本後紀－承和四年〔837〕一二月丁酉「然今進れる辞書非御意として左近衛中将従四位下和気朝臣真綱を差使返給と宣」（注2）

日国の用例によって、こういうことまでわかってしまうのだ。

祖父の背中、父の背中を見て辞書の世界へ

佐藤「日国スタート元年は1961年ですが、その約70年前、1892年に動き始めた『大日本国語辞典』（注3）のことにふれないわけにはいきません。20万語収録のこの辞典は、国語・国文学の研究者であれば必ず目を通したという辞典の基本です。実は、松井栄一先生のお祖父様、松井簡治先生がほぼ独力で完成された辞典で、日国の前身ともいえるものなんです」

松井「『大日本国語辞典』が完結したのが、1919年。その後も祖父は、父・驥（き）とともに、中辞典や増補改訂版の刊行を企画していたようなんですね。中学生の

ころだったと思います。父と祖父はいつも、夕食前に晩酌をしながら四方山話をしていたんですね。今思うと、それはたまたま辞典のことが話の中に出てきたのでしょう。なかでも祖父が父に『漢語は泥沼だからね』と語っていたのが妙に耳に残っています。自分が辞典に関わって初めて、その意味を理解できましたが（笑）」

松井さん自身は、東京大学国文科を卒業した後、私立武蔵高校の国語教諭として教鞭をとっていた。そんな折に、『大日本国語辞典』の中辞典を作らないかという話が、版元の冨山房から来る。だが考え方の違いから一旦は頓挫。そこに1961年、小学館から祖父と父の残した「カード」を元に辞書を作らないか、という話が舞い込む。

佐藤「実際は、このカードだけでは済まずに、時代別、分野別に相当量の用例をあらたに採取し、ほとんど一から辞典を作り直すことになるのですが、松井先生のお祖父様、お父様のカードが元になっているのも事実。つまり『日本国語大辞典』は、親子三代にわたる、100余年の作業の結晶ともいえますね」

松井「祖父は、かつて大学に入る前の3年間、英語を学んでいました。外国語に関わったことが、『日本語にもよい辞書が必要だ』という思いに繋がったのでしょう。はからずもその遺志を継ぎ、今、私はこうしているわけです」

注1　和蘭字彙（おらんだじい）　江戸時代に刊行された蘭日辞書。

注2　続日本後記（しょくにほんこうき）　平安前期の歴史書。六国史（りっこくし）の第四。20巻。平安前期の歴史書。

注3　大日本国語辞典　国語辞書。初版4冊。上田万年・松井簡治編。大正4～8年（1915～19）刊。当時の国語辞典で語数においては最大の約22万語を所収。

辞書作りに目覚めた中学二年生

佐藤「松井先生は中学生になるまで、ご自分のお祖父様が『大日本国語辞典』を作った人だということをご存じなかったそうですね」

松井「ええ（笑）。中学二年生の時だったと思いますが、国語の教科書に、『大日本国語辞典』に寄せた芳賀矢一氏の序文が『学者の苦心』と題されて載っていたんですが、先生が『この辞書は松井のおじいさんが作ったものだよ』とみんなに紹介したんです。その時初めて、祖父がすごい辞書を作ったんだということを知りました」

佐藤「まさかご自身がその跡を継ぐことになるとは……」

松井「まったく思っていませんでしたね。ただ実はそのころ、自分なりの辞書を作ったことがあるんです。講談本などに出てくる、真田十勇士（注1）、賤が岳の七本槍（注2）、頼光の四天王（注3）、寛政の三奇人（注4）、といった数字がつく言葉を集め、それらは誰を指すのかを示した辞書を遊びで作っていました。当時は祖父の仕事のことを理解していませんでしたが、振り返ってみると、そういうことが好きだったのかもしれません」

祖父・簡治さんの仕事を中学生の松井さんに意識させた芳賀矢一さんは、近代的学問としての国語・国文学を樹立した国文学者で、簡治さんとは以前より親交があった。実は芳賀矢一さん、その後の松井さんの人生にも浅からぬ因縁がある。小学館から『日本国語大辞典』を出す際に、小学館側の人間として主体的に動いたのが、芳賀矢一さんの息子さんである芳賀定さんであったのだ。

最大の転機となった恩師との仕事

佐藤「松井先生が本格的に辞書作りに携わるようになられたのは、いつごろからでしょうか？」

松井「1953年、27歳のころです。恩師・時枝誠記先生が『例解国語辞典』（注5）を作るというんで、その原稿作成に携わったんです。当時は私立武蔵高校の国語教師をしていまして、そこの三木孝先生に誘われての参加でした」

時枝誠記さんは昭和を代表する国語学者だ。「言語過程説」を提唱し、これに基づいて形成した独自の国文法は時枝文法として有名。松井さんは、東京大学文学部時代、指導教官が時枝先生であった。

佐藤「辞書作りの側から見ると、『例解国語辞典』は画期的な辞書でした。それまでは類似した意味の他の言葉に言い換えてすませていた辞書を、極力丁寧に説明し直そうとしていますし、語句のすべてに使用例をつけるようにしています」

松井「時枝先生は、私が『日国』を作るということになったとき、『松井は、ああいう大きな仕事に耐えられるだろうか』と私の線の細さを心配してくださったそうなんです（笑）」

注1　真田十勇士
戦国末の武将、真田幸村の家臣たち。大坂冬の陣、夏の陣で活躍した10人の勇士。
注2　賤が岳の七本槍
賤が岳の戦いで、羽柴秀吉軍で活躍した7人の武将。
注3　頼光の四天王
源頼光とともに活躍した4人の家臣。
注4　寛政の三奇人
江戸中期、尊皇、外交に特に関心を示した林子平、高山彦九郎、蒲生君平の3人。
注5　例解国語辞典

昭和31年に中教出版から刊行された国語辞典。

刊行スタートまで11年　第一版ができるまで

辞書作りの大きな柱は、「項目立て（立項）」と、その言葉が使われていたことの証拠となり、意味の裏付けでもある「用例（実例）探し」の2点。『大日本国語辞典』の増訂ではなく、一から辞書を作ることを決意した日国チームは、上代（注1）、中古、中世、近世、現代、有職（注2）、古記録（注3）、漢籍（注4）……などの専門部会を次々と発足させ、専門家に用例採取に当たってもらった。この時、大学院生として参加し、後にそれぞれの分野の大家となった人たちも大勢いる。

松井「責任者として、専門部会には必ず顔を出しましたが、この経験が非常に勉強になりました。ただ問題は項目立てでした。当初は複数でやろうとしたのですが、どうしても統一がとれない。一人が担当する必要に迫られました。行きがかり上、項目立ては私がやることになったんですが、最初に取り組んだのが、な行での実験でした」

佐藤「実験とは、さすが元理系の勉強をなさったこともある松井先生ですね。どんな実験をされたんですか？」

松井「な行は一万項目ほどと手頃だったので、どのくらいで立項できるか、実際に試したんです。すると、一日7時間で平均約一千項目という数字が出た。一項目平均25秒で取捨選択すればいい。年約220日働くとして年間22万。2年あれば立項は終わる計算です」

佐藤「松井簡治先生も朝3時に起きて、仕事に行く前の8時まで、1日33語消化する、という目標を立てて『大日本国語辞典』を作られたそうですが、同じようなアプローチですね」

松井「何とか予定通り、2年で終わりました(笑)。辞書自体も、スタートから刊行開始までに11年。『遅すぎる』と小学館内でも批判が多かったようですが、当時の相賀徹夫社長が『この仕事は我が社でやらなきゃならないんだ!』とかばってくれたそうです。祖父の簡治が辞書づくりを決意してから刊行までに23年かかっていますから、私から見ると早すぎたと思うのですが(笑)」

一版から二版へ…その進化と深化とは

佐藤「そして一版完結から14年後の1990年。いよいよ二版の編集がスタートするわけです」

松井「一版のころは、正直『巻き込まれた』仕事でした。ところが一版の刊行中に、新しい用例が見つかるなど、やり残したことが随分出てきたんです。新語ももっと取り入れたかったし。自分から、どうしても二版をやりたい、そう思いましたね」

佐藤「二版では実際、25万例ほど用例を追加しました。いちばん大きな違いは、用例に出典の成立年代を入れたこと。作業の大変さに、そうまでしなくてもいいんじゃないかという意見があったほどですが、これで、その言葉がいつ使われていたのか、非常にわかりやすくなりました。日国二版の誇りといっていいところです」

松井「記紀から万葉、そして現代の小説まで。成立年を入れたことで、日本語の持つ歴史の重みを感じることにもなりました」

佐藤「もう一つの大きなポイントは、紙で出したこと。実はCD-ROMで出そう、という話もすでにあったんです。ひょっとすると二版が、紙で出版する最後の大辞典ということになるのかもしれませんね」

日国二版は、2000年12月より刊行を開始する。完結は翌年の12月。項目は初版より5万増の50万語、100万用例の大辞典となった。

佐藤「ではこの次をどうするのか。二版の刊行は同時に、第三版をどうするかという難問を、私たちに突きつけたのです。辞書のあり方をもう一度、考え直す必要にせまられたというわけです」

注1　上代…現代
上代は奈良時代中心、中古は平安時代中心、中世は鎌倉・室町時代、近世は安土桃山・江戸時代、現代は広義で明治時代以降のことを指す。

注2　有職
有職故実（ゆうそくこじつ）のこと。公家や武家の儀礼・官職・制度・服飾・法令・軍陣などの先例・典故をいう。

注3　古記録
古い時代に書かれた史料、日記などの記録。

注4　漢籍
中国人によって漢文で書かれた書物。からぶみ。漢書。

ネットで変わる日国、変わらない日国

佐藤「日国は、２００７年に全13巻をデジタル仕様に整え、現在は、ジャパンナレッジで検索できるようになっています」

松井「オンライン版はね、私が使っても面白いですよ。例えば後方一致検索。これは紙の辞書ではなかなか難しいけれども、ネット上ならば簡単にできてしまいます」

試しに「雨」で後方一致検索をしてみよう。「青時雨」（あおしぐれ）から「わらやの雨」まで、４２６件もの「〜雨」がヒットした。同じ作業を、紙の辞書で行なうのは、ほぼ不可能だろう。

佐藤「ネット上の面白い試みとして、『日国・ＮＥＴ』というサイトを立ち上げて、その中の『日国友の会』コー

ナーで、用例カードを一般の方々から募っているんです。ここでの新発見も多く、二版で採用した用例よりも時代がさかのぼる例も結構あります」

松井「日国一版を出した際、『コンピュータを縦横に駆使し』という事実とは異なることをもとにして批判されましたが、ようやくここにきて、パソコンのネットを使った新しい辞書作りが始まったのかも知れません」

佐藤「ウィキペディアなどもそうですが、ネット上の辞書の大きな特徴は、その更新スピードにあります。つねに、新しい情報によって書き換えられていく。当初、日国もネット展開する以上、日々更新したらどうか、という意見もありました」

松井「しかし言葉の研究者は、『あの言葉は、この時代の辞書に載っているのか』という確認のために辞書を使うことがある。ですから辞書が更新され続けていくと、その辺がややこしくなります」

佐藤「そうですね。辞書には、パブリックなレファレンス（参照）という側面もあります。同じものを参照し合うからこそ、会話や研究も成り立つ。でもその共通の参照項が不安定だったら、それは成り立ちにくいですよね。共通の教養ベースによる議論の土台作りも辞書の使命の一つだと思います。ネット上の日国二版はこの考えに基づいて、改訂するとしても、時間をかけて定期的に、ということになると思います」

21世紀版最高の辞書作りをめざして

松井「『日国友の会』で、多くの用例が発見されていることからもわかるように、用例探しには決して終わりがないんですね。やればやるほど出てきます。特に、近世。現代語の大もとは、近世にさかのぼる場合が多いのです。夏目漱石などがいい例で、漱石の小説を読むと、当て字かと思うような漢字表記や熟語が数多く登場します（注1）。ところが調べてみると、漱石が使い始めたわけではない。

近世の文献に同じような使い方があるんですね。この近世の用例の取り上げかたが、二版ではまだ十分とは言い切れないんです」

佐藤「実際、松井先生には、第三版に向けた作業を継続していただいています」

松井「読書や古本屋めぐりは、私の数少ない趣味の一つですが、結局、『この古本は辞書に使えそうだ』とか『この小説から用例を探してみよう』ということになる（笑）。すっかり、辞書を中心とした人生になってしまいました。日常生活の中でも、『用例探し』から逃れられないんですから（笑）」

佐藤「そういう松井先生の存在があるからこそ、日国の歴史は続いていくのだと思います。次の三版が、どのような形でいつの出版になるかわかりませんが、仮に紙で出すとしたら、オンデマンド版ということになるでしょうね。どんな辞書をみなさんにお届けできるか、私自身も楽しみにしているんです」

松井「私は、辞書作りを通して、言葉の面白さに改めて感じ入りました。これを読んでいるみなさんも、ジャパンナレッジや日国を通して、言葉に興味をもっていただけたら、それが一番嬉しいですね」

祖父・松井簡治さんの『大日本国語辞典』の編纂開始から100年超。最高の日本語辞典作りに向けた取り組みは、21世紀になった今もなお続けられている。

〈二〇〇九年一〇月〉

注1　「目出度（めでた）い」「愚図（ぐず）」「野暮（やぼ）」などといった漱石作品に多く見られた当て字は近世の文献にも多く見られる。

あとがき

ロングインタビューで松井栄一先生は、『大日本国語辞典』の五十音「あ・い・う・え・お・か……」のそれぞれについての解説を、松井簡治さんではなく国語学者の橋本進吉《はしもとしんきち》先生が書かれていたことが最近になって分かったと述べています。だから、必ずしも二十万項目を全て簡治さんが書いたわけではないという文脈でしたが、面白いのはそのご縁です。橋本先生の令嬢とご結婚なさっていたのが、栄一先生とともに初版と第二版の編集委員を務められた林《はやし》 大《おおき》先生だったのです。

岳父が『大日本国語辞典』で同じ項目の解説を書かれていたことを知ってか知らでか、その林先生も、実は『日本国語大辞典』の「あ・い・う・え・お・か……」の五十音項目を執筆されていたのでした。あるいは偶然だったのかも知れませんが、因縁浅からぬものを感じます。一方、林先生が国立国語研究所の所長在任中に発表された『日本大語誌』の構想には、栄一先生も国語辞典編集準備調査会の一員として、見坊豪紀《けんぼうひでとし》、山田俊雄《やまだとしお》、岩淵悦太郎《いわぶちえつたろう》各氏とともに参画されていたのです。

さて、祖父の松井簡治さんは、『大日本国語辞典』のもととなる索引を作るにあたって、「国書を秘する弊」を嘆いていました。貴重な文献は多々あるが、個人の手元に置かれたままだったり、図書館にあっても容易に閲覧できなかったりすることが多い。このようなありさまでは、そもそも異本を校合して定本を作る作業はむずかしく、学問の進歩の足枷になっている、と。簡治さんは、大学図書館での閲覧がかなわず、仕方なく自ら古書店を巡り歩いて文献を集めるところから始めているだけに、その主張には強い思いが込められています。

我が国の書籍にハ、写本多く、刊本少く、学者中にハ、往々珍襲（ちんしゅう）の余り、秘して之を世に公にするを好まざる弊あれば、先哲の心血を注ぎて著述せられたる書も、僅に一、二の人の筐底（きょうてい）に没して、広く公衆の目に触れざること多きなり。〈略〉況（ま）して、一人之を専有して、先賢の説を我が物顔に云ひなす如きことあらんには、徳義にも関りなん。〔「国書を秘する弊」（『国学院雑誌』第二巻第十、1896・8）〔1〕〕

国学者の最も労力を費したるは、此等の異本を校合するにあり。〈略〉校正を経たるものは、一人の学者の手に秘蔵せられて他人は之を見るを得ず、斯くて他の学者も亦同一の労をなし、前人之を為し後人も亦之を為し、幾多の学者に無益の歳月を費さしめたり。されば将来厳密なる校正により完全なる定本を刊行せざれば、斯の学の進歩は望み難かるべし。勿論斯る事は容易のことにあらざれば、官府の事業として之を為す方至当なるべし。〔「国書の索引」(『国学院雑誌』第四巻第三、1897・1)［2］〕

義憤ともいうべき簡治さんのこの気骨には、わたしたちが身近に接していた柔軟で寛容な栄一先生の芯の強さに通じるものを感じます。まさに、簡治さんの古希を祝って国文学者の吉田弥平《よしだやへい》氏が評した「君資性温粋和易、外柔にして内剛、未だ嘗て疾言遽色せず、童顔常に笑を含み、春風長に座に満つ」〔『松井博士古稀記念論文集』序・1932・2・11［3］〕ということばが思い起こされます。

童顔といえば、林大先生も笑顔を絶やさない柔和な方でしたが、いつもアイデアに溢れ発想も大胆な先生でした。国立国語研究所で『分類語彙表』のお仕事をなさっていることでも有名ですが、『日本国語大辞典』(初版)が完結した翌年、昭和五二年(1977)に公表された『日本大語誌』の構想はインパクトがありました。

私は所長在任中に、精一杯ふろしきを広げて、日本大語誌という仮の名前をつけて、一方には方言の大集成をも思い浮かべながら、金石文に始まる文献時代の用語の実例を組織的に集積することを考えた。これは、研究所の大辞典の基礎であると同時に、公開して各種国語辞典の内容の向上に、基本的な寄与をなすべきものである。〔林大「辞書・用例・索引——つれづれのふみのくら（波）」（『言語生活』１９８３・７）〔４〕〕

将来的には日本語の科学的研究の成果をもとにして、歴史的な大辞典を作るという目標のもと、定本を整備しつつ、実際の使用例の確実な集成を目指したものです。準備委員会を立ち上げ、辞典編集準備室を設けて国定教科書の用語索引を作るなどの業績を残したものの、組織改変等に伴って作業は途切れてしまいます。しかし、その精神は、『現代日本語書き言葉均衡コーパス』（ＢＣＣＷＪ）に引き継がれ、さらに『日本語歴史コーパス』（ＣＨＪ）として発展し、その構築作業が着々と進められている中に生きているといえるのではないでしょうか。『コーパスによる日本語史研究』の三部作（近代編、中古・中世編、近世編）〔５〕が刊行され、日本語におけるコーパス言語学も着実に成果を上げつつあります。

もはや、個人や一社で底本を整備して定本を決め、索引を作るところから始められる時代ではありません。公の機関がそれを「官府の事業」として引き受けてくれるのであれば、それに協力して利用させてもらう方が理にかなっています。わたしたちは、「日国友の会」を通じて用例採集の伝統を維持しつつ、一方では国立国語研究所の事業にもできるだけ協力するようにしてまいりました。ＢＣＣＷ

Jには外部評価委員として参画し、いち早く自社出版物を提供しています。ＣＨＪでは、会社の理解と著作権者の了承を得て、『新編日本古典文学全集』のデータを用意しました。それもこれも、来るべき『日本国語大辞典』の次の改訂には強力なデータベースとして役立つはずですし、コーパス言語学を取り入れた語釈の検討や語誌の充実にも貢献してくれることを見込んでのことです。

今や、N-gramを基調とするChatGPTなどの登場によって生成ＡＩの時代に突入しつつあります。ウェブ上のデータやデジタル化された大量の資料があれば、玉石混淆でも統計学的にはある程度の確度で答えをもたらしてくれる、便利な世の中になったとはいえるでしょう。しかし、人間の認識や行動はそのような蓋然的な知識だけで成り立つものではないと考えます。どんなにデジタルネットワークが行き渡っても、直近のコロナ禍で露呈した国境と地域の壁は、結局、人間の身体という限界を見せつけましたし、その身体は物の世界に住み着いて繊細な生命を維持しているわけです。新しい知見は身体の直観からもたらされるという現実に変わりはないでしょう。

「日国友の会」はまさに会員が自らの興味と関心によって、したがって身体によって地道に用例を拾い続けています。二〇〇二年に発足して早二〇年を過ぎましたが、二〇〇五年まででもすでに三万件以上の投稿をいただき、うち一割に相当する三千例については、『精選版日本国語大辞典』（全三巻、

２００５〜０６）に反映されました。その後も投稿は増え続け、昨年末における会員数は約六七〇名で、投稿者の異なり数は一八〇名を超えます。投稿総数が約一六万八千件で、そのうち公開しているものが約一二万件に上ります。公開中の用例のうち、二版よりさかのぼる例あるいは初出例が約八万七千例、語釈に関する例が五千例、二版にはないことばの用例が約二万八千例となっています。開設以来、毎日のように投稿する方もいらっしゃれば、休暇の時に集中的に投稿なさる方、関心の赴くまま いわば遊軍的に投稿される方もいらっしゃいます。投稿の中身は、中古の和歌から、中世、近世の記録物、そして明治以後の近代例から比較的最近の新語に至るまで多岐にわたっています。

「日国友の会」で多くの用例が発見されていることからもわかるように、用例探しには決して終わりがありません。やればやるほど出てきます。〈略〉辞書には版の刊行があるけれども、最終的なゴールというものはありません。「永遠に未完成」といえるでしょう。〔本書１５６ページ〕

次々にファイルされていく用例は、最終的には『日国』第三版に貢献するはずです。それが何年後になるのかも、どのような形態になるのかも予測できませんが、完成の暁には、ＯＥＤにContributorsとして記録された篤志閲読者のように、多数の会員名が記され、いくつかの感動的なエピソードも語り継がれることでしょう。〔倉島長正『国語辞書一〇〇年』（おうふう、２０１０）

「194ページ」

『日本国語大辞典』の用例採集は熱心な読者に支えられながら続いているといえますが、その切れ目のない作業は時に応じて結晶化し、歴史を刻まなければなりません。デジタルデータのバージョン管理を基本としつつ、できれば、その結晶化の証として紙版でも残せるような形が長い目で見ても理想的ではないでしょうか。結晶化ということは、とりあえずの切断による体系化であり、その目安となるのが紙の限界であると考えるとわかりやすいかもしれません。万全を期して機が熟すのを待ち、頃合いで仮固定することによって、オンデマンドであれ、身体と物の世界にその痕跡を残しつつ、次の改訂へとジャンプするのです。その改訂版は新たな用例採集の目安となり、デジタルとしては国立国語研究所のコーパスをはじめとした、さまざまなサイトの資料ともリンクする、日本語ネットワークのハブとしての役割も期待されるようになるのではないでしょうか。

佐藤宏　識

後注

［1］『松井簡治資料集』（松井簡治資料刊行会、2014）108-09ページ

［2］『松井簡治資料集』（右に同じ）112ページ

［3］『松井簡治資料集』（右に同じ）76ページ

［4］『国立国語研究所「日本大語誌」構想の記録』（港の人、2012）371ページ

［5］『コーパスによる日本語史研究 近代編』（ひつじ書房 2021・11）、『同 中古・中世編』（同 2022・10）、『コーパスによる日本語史研究 近世編』（同 2023・12）

著者紹介

松井栄一《まつい・しげかず》

１９２６年、東京都生まれ。日本の国語学者。辞書編集者。元山梨大学教授。『日本国語大辞典』初版と第二版の編集委員を務める。祖父の松井簡治、父の松井驥もともに辞書編集者。国語辞典では他に『日本語新辞典』（小学館）、『現代国語例解辞典』（小学館）などを監修。著書に『国語辞典にない言葉』（南雲堂）、『出逢った日本語・50万語 辞書作り三代の軌跡』（ちくま文庫）、『国語辞典はこうして作る 理想の辞書をめざして』（港の人）、『日本人の知らない日本一の国語辞典』（小学館新書）など。２０１８年12月3日没、享年92。

佐藤宏《さとう・ひろし》

１９５３年、宮城県生まれ。東北大学文学部卒業。小学館に入社後、尚学図書の国語教科書編集部を経て辞書編集部に移り、『現代国語例解辞典』『現代漢語例解辞典』『色の手帖』『文様の手帖』などを手がける。１９９０年から日本国語大辞典の改訂作業に専念。『日本国語大辞典第二版』の編集長。元小学館取締役。

50万語を編む
「日国」松井栄一の記憶

二〇二四年四月二一日　初版第一刷発行

著者　松井栄一
発行者　石川和男
発行所　株式会社 小学館
〒一〇一-八〇〇一 東京都千代田区一ツ橋二-三-一
電話　編集 〇三-三二三〇-五一七〇
販売 〇三-五二八一-三五五五

印刷　図書印刷株式会社
製本　株式会社　若林製本工場

Printed in Japan　ISBN 978-4-09-389147-9